35
ANOS

UMA ROSA SÓ

MURIEL BARBERY

Uma rosa só

Romance

Tradução
Rosa Freire d'Aguiar

2ª reimpressão

COMPANHIA DAS LETRAS

*Grafia atualizada segundo o Acordo Ortográfico da Língua Portuguesa de 1990,
que entrou em vigor no Brasil em 2009.*

Título original
Une Rose seule

Capa
Kiko Farkas e Gabriela Gennari/ Máquina Estúdio

Foto de capa
Nutto Nataphat Lordidentity/ Shutterstock

Revisão
Adriana Bairrada
Gabriele Fernandes

Dados Internacionais de Catalogação na Publicação (CIP)
(Câmara Brasileira do Livro, SP, Brasil)

Barbery, Muriel
    Uma rosa só : Romance / Muriel Barbery ; tradução Rosa
Freire d'Aguiar — 1ª ed. — São Paulo : Companhia das Letras,
2022.

    Título original: Une Rose seule
    ISBN 978-65-5921-258-3

    1. Ficção francesa I. d'Aguiar, Rosa Freire. II. Título.

21-88206   CDD-843

Índice para catálogo sistemático:
1. Ficção : Literatura francesa   843

Maria Alice Ferreira – Bibliotecária – CRB-8/7964

[2022]
Todos os direitos desta edição reservados à
EDITORA SCHWARCZ S.A.
Rua Bandeira Paulista, 702, cj. 32
04532-002 — São Paulo — SP
Telefone: (11) 3707-3500
www.companhiadasletras.com.br
www.blogdacompanhia.com.br
facebook.com/companhiadasletras
instagram.com/companhiadasletras
twitter.com/cialetras

A Chevalier, sempre
Aos meus mortos

No teto do inferno

1.

Conta-se que na China antiga, sob a dinastia dos Song do Norte, um príncipe mandava todo ano cultivarem um canteiro de mil peônias cujas corolas, na entrada do verão, ondulavam na brisa. Por seis dias, sentado no chão do pavilhão de madeira onde tinha o costume de admirar a lua, bebendo de vez em quando uma xícara de chá claro, ele observava aquelas a quem chamava de suas filhas. No alvorecer e no entardecer, percorria o canteiro.

No começo do sétimo dia, ordenava o massacre.

Os servos deitavam as belas assassinadas, com a haste quebrada, a cabeça estendida para o leste, até que só restasse no campo uma única flor, com as pétalas oferecidas às primeiras chuvas da monção. Então, nos cinco dias seguintes, o príncipe ali ficava, bebendo um vinho escuro. Toda a sua vida cabia naquelas doze revoluções do Sol; o ano inteiro ele só pensava nelas; quando já tinham passado, ele fazia voto de morrer. Mas as horas dedicadas a escolher a eleita e depois a fruir da muda conversa entre os dois continham tantas vidas numa só que ele não via sacrifício nos meses de luto.

O que sentia ao contemplar a sobrevivente? Uma tristeza em forma de pedra cintilante à qual se mesclavam estilhaços de uma felicidade tão pura, tão intensa, que seu coração desfalecia.

Um canteiro de mil peônias

Quando Rose acordou e, olhando ao redor, não compreendeu onde estava, viu uma peônia vermelha de pétalas enrugadas. Alguma coisa passou por ela com um perfume de tristeza ou de felicidade fugaz. Em geral, esses movimentos internos arranham o coração antes de se desvanecerem como um sonho mas às vezes o tempo transfigurado oferece ao espírito uma transparência nova. Era o que Rose sentia, naquela manhã, frente a frente com a peônia que, em seu vaso delicado, desvelava seus estames dourados. Por um instante, pareceu-lhe que podia ficar indefinidamente naquele quarto nu, contemplando aquela flor, sentindo-se *existir* como nunca. Observou os tatames, as divisórias de papel, a peônia amassada; por fim, observou a si mesma como a uma desconhecida encontrada na véspera.

A noite voltou-lhe por salvas — o aeroporto, o longo trajeto noturno, a chegada, o jardim iluminado de lanternas, a mulher de quimono ajoelhada no piso sobrelevado. À esquerda da porta corrediça por onde ela entrara, ramos de magnólia de verão jorrando de um vaso de laterais escuras agarravam a luz por sucessivas enxurradas. Parecia uma água brilhante caindo como chuva sobre as flores, as sombras nas paredes cintilavam, em volta havia uma escuridão estranha, fremente. Rose distinguia paredes arenosas, pedras achatadas formando um caminho até o patamar alto, espíritos secretos; toda uma vida de penumbra percorrida de suspiros.

A japonesa levara-a até seu quarto. Na sala adjacente, o vapor de um banho subia de uma grande bacia de madeira lisa. Rose enfiara-se na água escaldante, impressionada com o despojamento daquela cripta úmida e silenciosa, com sua decoração de madeira, com suas linhas puras. Ao sair do banho, vestira o quimono de algodão leve como quem penetra num santuário. Da mesma maneira, entrara debaixo dos lençóis com uma inexplicável sensação de fervor. Depois, tudo passara.

Bateram discretamente e a porta correu, rangendo. A mulher da véspera veio, a passinhos perfeitos, pôr uma bandeja diante da janela. Disse algumas palavras, recuou deslizando com suavidade, ajoelhou-se, inclinou-se, fechou de novo a porta. A lembrança de sua voz cristalina nos fins de frase quebrados tingiu a atmosfera com uma tonalidade de gongo. Quando ela desapareceu, Rose viu palpitarem suas pálpebras baixadas e ficou impressionada com a beleza de seu quimono marrom cintado com uma obi bordada de peônias rosa.

Rose inspecionou os pratos desconhecidos, a chaleira, a tigela de arroz; cada gesto seu lhe fazia o efeito de uma profanação. Pela moldura nua da janela em que corria uma vidraça tendo à frente um biombo de papel, ela via, trêmulas e cinzeladas, as folhas de um bordo e, adiante, um panorama mais vasto. Era um rio de margens debruadas de vegetação e, de cada lado de um leito pedregoso, alamedas de areia, outros bordos misturados com cerejeiras. No vau, entre as ondas preguiçosas, postava-se uma garça-real. Acima da cena passavam nuvens de bom tempo. A força da água viva a impressionou. Onde estou?, ela pensou, e embora soubesse que aquela cidade era Kyōto, a resposta se esquivava como uma sombra.

Bateram de novo. Quem é?, perguntou, e a porta se abriu. O cinto de peônias reapareceu; dessa vez, a mulher ajoelhada lhe disse: Rose-san get ready?, apontando a porta do banheiro. Rose balançou a cabeça. O que é que eu estou fazendo aqui?, conjecturou, e embora soubesse que tinha ido lá para tomar conhecimento do testamento de seu pai, a resposta continuava a se esquivar. Na capela vasta e vazia do banho, ao lado do espelho, uma peônia branca de pétalas fugazmente mergulhadas numa tinta carmesim secava no ar como uma pintura fresca. A luz matinal, despejada por uma abertura quadriculada de bambu, jogava pirilampos nas paredes e, por um instante, inundada por um reflexo furta-cor de vitral, ela pensou numa catedral. Vestiu-se, saiu pelo corredor, pegou à direita, voltou atrás quando chegou a uma porta fechada, seguiu meandros de soalho e de papel. Depois de uma curva, as paredes eram de uma escura madeira em que se distinguiam painéis corrediços e em seguida, depois de outra curva, ela se viu num espaço grande no meio do qual vivia um bordo. Suas raízes enterravam-se num musgo de veludo plissado; acariciando o tronco, uma samambaia roçava numa lanterna de pedra; em volta, corria uma galeria envidraçada aberta para o céu. Por lascas de mundo fragmentado, Rose via o chão de madeira, as cadeiras baixas, as mesas laqueadas e, à direita, num grande vaso de argila, um arranjo de galhos espetados de folhas desconhecidas, vibrantes e leves como fadas; mas a árvore rebentava o espaço com um rasgão em que se afogavam suas percepções e Rose sentia que a árvore a atraía para si, que ela imantava seu fôlego, que faria de seu corpo um arbusto de ramagem murmurante. Passado um momento, afastou-se desse sortilégio, foi para o outro lado do jardim interno onde janelões envidraçados davam para o rio, empurrou um panô que deslizou sem ruído sobre seus trilhos de madeira. Ao longo das margens de cerejeiras, batimentos fluidos do espaço-tempo, passavam os corredores matutinos, e Rose desejou fundir-se naquela corrida sem passado nem futuro, sem vínculos nem história; desejou não ser mais que um ponto movente inscrito no fluxo das estações e das montanhas que atravessa as cidades até os oceanos. Olhou mais além. A casa de seu pai tinha sido construída um pouco acima, no alto de uma alameda de areia que se avistava entre os galhos das árvores. Na outra margem, a mesma alameda de areia, as mesmas cerejeiras, os mesmos bordos e, ainda mais longe, dominando o rio, uma rua, outras casas — a cidade. Finalmente, fechando o horizonte, colinas encarneiradas.

Ela entrou no santuário da árvore. A japonesa a esperava.
— My name Sayoko — ela lhe disse.
Rose balançou a cabeça.
— Rose-san go for a stroll? — perguntou Sayoko.
Depois, com um sotaque insólito, corando um pouco:
— Promenade?
Novamente, os fins de frase formando um eco de nota quebrada, as pálpebras nacaradas como uma concha.

Rose hesitou.

— The driver outside — disse Sayoko. — Wait for you.

— Oh — disse Rose —, all right.

Sentiu-se apressada, e a árvore, atrás de Sayoko, chamou-a de novo a si, estranha e sedutora.

— I forgot something — ela disse, e escapuliu.

Na sala de banhos, viu-se diante da peônia branca, de suas pétalas laqueadas de sangue, de sua corola de neve. Hyoten, murmurou. Ali permaneceu um instante, e depois, pegando seu chapéu de algodão, saiu da capela de silêncio e de água e foi para o vestíbulo. Na luz do dia, as flores de magnólia encurvavam-se como borboletas — como fazem isso?, pensou, com irritação. Em frente à casa, o motorista da véspera, de terno preto e boné branco, inclinou-se quando ela apareceu. Segurou a porta com deferência, fechou-a com suavidade. Ela observou no retrovisor a fenda de seus olhos, finos traços de tinta preta batendo sem revelar as íris e, curiosamente, aquele abismo do olhar lhe agradou. Logo ele lhe sorriu de um jeito infantil que iluminou seu rosto de cera.

Atravessaram uma ponte e, passando para a outra margem, dirigiram-se aos relevos. Ela descobria a cidade num caos de concreto, fios elétricos e luminosos: aqui e ali, a silhueta de um templo perdia-se naquela maré de feiura. As colinas se aproximavam, o bairro ia ficando residencial e, enfim, chegaram à beira de um canal margeado de cerejeiras. Desceram do carro na parte baixa de uma rua com lojinhas dos dois lados, por onde turistas perambulavam. No alto da subida, passaram por um portão de madeira — Silver Pavilion, disse o motorista. Ela ficou impressionada com sua presença evanescente, como se ele se ausentasse de si próprio, inclinando-se para ela, exclusivamente para sua satisfação. Ela lhe sorriu, ele fez um sinalzinho com a cabeça.

Então surgiu um antigo mundo de construções de madeira com telhados cinza. Na frente, havia grandes pinheiros estranhos dentro de quadriláteros de musgo; alamedas de pedra caminhavam entre faixas de areia cinza; ali tinham se traçado com ancinho linhas paralelas e para lá se convidaram algumas azaleias. Passaram a porta que dava para os jardins principais. À direita, na beira de um laguinho, pela graça de seus telhados curvos, o velho pavilhão começava seu voo, e Rose teve a impressão perturbadora de que ele respirava, de que uma vida orgânica se refugiara entre aquelas paredes e aquelas galerias sem idade, aquelas aberturas de papel branco lançando sobre a água seus longos reflexos leitosos. Em frente elevava-se um montículo de areia de cume nivelado, à esquerda tinha início uma vasta extensão da mesma areia, riscada de sulcos paralelos e curva na ponta como se fosse uma onda rebentando na praia. Quem olhasse o conjunto via primeiro aquela vaga mineral, depois o simulacro de montanha com o topo aplainado, o pavilhão com os telhados alados; mais longe, laguinhos de água de mercúrio, pinheiros talhados da mesma maneira como se lançam os pássaros, e mais algumas azaleias; por toda parte, delimitadas por um musgo raso e luminoso, ancoradas nas margens, pedras seculares. Por fim, os jardins caminhavam até uma esplanada onde se amontoavam os muitos visitantes. Entre Rose e eles, por avalanches de folhas denteadas, escorriam os bordos dispostos em patamares no flanco da subida.

Ela se sentia prostrada pela beleza, pela mineralidade e pela madeira; tudo lhe era torpor, tudo lhe era intenso; não posso reviver isso, pensou com um misto de lassidão e pavor. Mas, logo em seguida: Há alguma coisa aqui. Seu coração começou a palpitar, ela buscou com os olhos um local onde sentar-se. *Como*

em terra de infância. Encostou-se na galeria de madeira do edifício principal; seu olhar agarrou-se numa azaleia; o pavor e o júbilo incutidos nas pétalas malva fundiram-se numa emoção nova e ela pensou que estava no coração de um santuário de água
pura e gelada.

Seguiram o caminho de visita, pararam um instante na pon-
tezinha de madeira que, transpondo as águas cinzentas, levava
aos bordos e às alturas do jardim. Ao redor, laguinhos deslizavam
em torno de outros grandes pinheiros estranhos. Rose levantou
os olhos e recebeu o raio ramificado das agulhas em pleno céu;
os troncos escuros jogavam a força da terra naqueles relâmpa-
gos vegetais; ela se sentia aspirada por um fluxo de nuvens e
musgo. O motorista ia andando num passo ritmado, de vez em
quando se virava para trás, esperava-a sem impaciência, recomeçava a marcha quando ela lhe fazia um sinal. Seu jeito tranquilo
acalmava Rose, tornava a dar ao mundo um grão de realidade
que a força do jardim dissolvia nas árvores. Agora, o atalho margeado de grandes bambus verdes levava a uma escada de pedra;
ali ao lado, ela poderia ter tocado com o dedo o musgo aveludado em que se enraizavam os bordos. Degrau após degrau, os galhos recompunham um quadro de perfeição e aquela coreogra-
fia visual atingia-lhe o coração mas a irritava também — no
entanto, essa irritação lhe fazia bem, conforme compreendeu,
surpresa. Finalmente, foram dar na pequena esplanada; mais
embaixo, o pavilhão, os edifícios de madeira, os telhados cinza,
a areia esculpida; mais adiante, Kyōto e, ainda mais longe, outros
relevos. We are East, disse o motorista e, mostrando o horizonte:
West mountains.

Ela media a dimensão da cidade. Nela, tudo se ligava à presença das montanhas que, a leste, ao norte e a oeste, a cercavam formando ângulos retos. Na verdade, eram grandes colinas cujos recortes provocavam no olhar uma sensação de altitude. Verdes e azuis na luz da manhã, elas escorriam para a cidade suas camadas de tinta arborizadas. Diante dela, mais além de um morrinho coberto de vegetação, a cidade parecia feia, revestida de concreto. O olhar de Rose voltou para os jardins, mais abaixo, e a *precisão* deles a impressionou — aquela evidência adamantina, sua pureza aguçada de dor, a maneira que tinham de ressuscitar as sensações da infância. Como nos sonhos de antigamente, ela se debatia numa água preta e gelada, mas em pleno dia, numa profusão de árvores, nas pétalas manchadas de sangue de uma peônia branca. Acotovelou-se no parapeito de bambu, escrutou a colina vizinha, onde procurou *alguma coisa*. A mulher encostada ao lado dela lhe sorriu.

— Você é francesa? — perguntou com um sotaque inglês.

Rose virou-se para ela, notou o rosto enrugado, os cabelos grisalhos, o casaco muito bem-feito.

Sem esperar resposta, a mulher recomeçou.

— Maravilhoso, não é?

Rose concordou.

— É o resultado de séculos de dedicação e abnegação.

A inglesa riu das próprias palavras.

— Tanto sofrimento para um só jardim — disse no tom leve da frivolidade.

Mas olhava intensamente para Rose.

— Bem — disse enquanto Rose continuava calada —, talvez você prefira os jardins ingleses.

Riu de novo, acariciou o parapeito, negligentemente.

— Não — disse Rose —, mas este lugar me perturba.

Ela teve vontade de falar da água gelada, hesitou, desistiu.

— Cheguei esta noite — disse enfim.

— É sua primeira viagem a Kyōto?

— É minha primeira viagem ao Japão.

— O Japão é um país onde a gente sofre muito mas não presta atenção nesse sofrimento — disse a inglesa. — Como recompensa dessa indiferença à infelicidade, a gente colhe estes jardins onde os deuses vêm tomar chá.

Rose se irritou com isso.

— Não concordo — disse ela —, nada recompensa o sofrimento.

— Acha mesmo? — perguntou a inglesa.

— A vida causa dor — disse Rose. — Não há nenhum benefício a esperar disso.

A inglesa desviou a cabeça, enfiou-se na contemplação do pavilhão.

— Se não estamos prontos para sofrer — disse ela —, não estamos prontos para viver.

Afastou-se do parapeito, sorriu para Rose.

— Boa estada — disse.

Rose virou-se para o motorista. Ele seguia com os olhos a inglesa, cuja silhueta desaparecia sob as ramagens dos bordos, com uma expressão mesclada de inimizade e temor. Ela pegou o caminho da descida. Enquanto pisava no último degrau da escada de pedra preta que levava ao lago defronte do pavilhão, parou assaltada pelo pensamento de que ninguém a esperava em lugar nenhum. Viera se inteirar do testamento de um pai a quem não conhecera; toda a sua vida consistia naquela sucessão de fantasmas que comandavam seus passos e nada lhe davam em troca; ia sempre em direção ao vazio e à água gelada. Lembrou-se de uma tarde no jardim de sua avó, da brancura do lilás, do capim baixinho na entrada da propriedade. As palavras da inglesa lhe voltaram à memória e, com elas, um sentimento de revolta. Nunca mais, disse em voz alta. Então contemplou a água cinzenta, o pavilhão, a areia esculpida, os bordos, o grande perímetro de infância e de eternidade do jardim, e foi inundada por uma tristeza a que se misturavam estilhaços de uma felicidade pura.

2.

Nos tempos antigos do Japão, na província de Ise, às margens de uma enseada subtraída do oceano, vivia uma curandeira. Ela conhecia as virtudes das plantas e as usava com aqueles que iam lhe pedir alívio para seus males. Apesar disso, como se a decisão tivesse sido tomada de uma vez por todas pelos deuses e não houvesse nada a fazer para mudá-la, ela sofria permanentemente de dores atrozes. Um dia, um príncipe que ela curara graças a um chá de cravos de sua lavra disse-lhe: Por que não utilizas então o teu poder para curar a ti mesma? Ele se desvaneceria, ela respondeu, e eu já não poderia curar meu próximo. Que te importa que os outros sofram se podes viver sem suportar a dor?, perguntou o príncipe. Ela riu, foi até seu jardim, cortou uma braçada de cravos vermelho-sangue e lhe entregou dizendo: A quem, então, eu ofereceria minhas flores com um coração leve?

Uma braçada de cravos vermelho-sangue

Aos quarenta anos, Rose quase não tinha vivido. Em criança, crescera numa bela região rural, onde conhecera os lilases efêmeros, os campos e as clareiras, as amoras e os juncos de riacho; por fim, à tarde, sob cascatas de nuvens douradas e de aguadas cor-de-rosa, lá recebera a inteligência do mundo. Ao cair a noite, lia romances, de modo que sua alma era moldada por veredas e histórias. Depois, um dia, como se perde um lenço, ela perdera sua disposição à felicidade.

Sua jovem vida tinha sido tristonha. A dos outros lhe parecia furta-cor e graciosa, a sua, quando nela pensava, fugia-lhe como a água na palma da mão. Embora tivesse amigos, gostava deles sem entusiasmo; seus amantes atravessavam a paisagem como sombras, seus dias se passavam a frequentar silhuetas indecisas. Não conhecera o pai, que a mãe abandonara logo antes de seu nascimento; diante dessa mãe, só sentira melancolia e ausência, daí ter se surpreendido, na sua morte, com a terrível dor. Cinco anos tinham se passado e ela se dizia órfã, embora soubesse que vivia em algum lugar um japonês que era seu pai. Conhecia seu nome, sabia que era rico, sua mãe falava dele, às vezes, com indiferença, sua avó se calava. De vez em quando, imaginava que ele pensava nela, outras vezes, como ela era ruiva de olhos verdes, convencia-se de que o Japão era uma invenção de sua mãe, de que seu pai não existia, de que ela nascera do vazio — não se afeiçoava a ninguém, ninguém se afeiçoava a ela, o vazio gangrenava sua vida da mesma maneira que a havia gerado.

Se todavia Rose pudesse se ver pelos olhos dos outros, ficaria perplexa. Suas feridas lhes pareciam mistérios, seu sofrimento soava como pudor, pensava-se que tinha uma vida secreta, intensa, e como era bonita mas austera, intimidava e mantinha à distância os desejos. Que ela fosse, para completar, botânica aumentava a circunspecção; era uma profissão enigmática, achavam-na elegante e rara, ninguém ousava falar de si diante dela. Com os homens que atravessavam sua vida, ela fazia amor com uma indolência que podia ser igualmente tibieza ou fervor. De resto, nunca desejara alguém mais que alguns dias, e aos humanos ela preferia os gatos. Apreciava as flores e os vegetais mas deles era separada por um véu invisível que lhes ocultava a beleza, tirava-lhes vida — no entanto, sentia que alguma coisa, naquelas cascas de árvore e naquelas corolas familiares, tremia e tentava simpatizar com ela. Mas os anos passavam e a água gelada de seus pesadelos, uma água preta em que ela se afogava lentamente, colonizava aos poucos seus dias. Sua avó também morrera; ela já não tinha amantes, já não via os amigos; sua vida encolhia, imobilizava-se no gelo. Certa manhã, uma semana antes, um tabelião lhe comunicara que seu pai morrera e ela pegara um avião para o Japão. Não se questionara a respeito da partida; no nada que era a sua vida, isso importava tão pouco quanto o resto. Mas a sombria obediência à requisição do tabelião mascarava uma sede que, agora, Kyōto revelava.

Seguindo o motorista, ela passou novamente pela grande porta do santuário, tornou a descer a rua das lojinhas. Rose-san hungry?, ele perguntou. Ela assentiu com a cabeça. Simple food, please, respondeu. Ele pareceu surpreso, refletiu um instante, recomeçou a andar. Depois do canal, pegaram à esquerda para a rua mais abaixo, até uma casinha precedida, na calçada, por um painel em que figuravam umas letras. Passando sob uma cortina curta, o motorista entrou por uma porta corrediça e ela o seguiu até uma única sala que cheirava a peixe grelhado. No meio, um gigantesco exaustor no alto de uma grelha a carvão; à esquerda, um balcão com oito lugares; à direita, atrás do forno, prateleiras desabando de tanta louça e utensílios diversos, uma pequena bancada de trabalho; sobre um bufê baixo, garrafas de saquê ao longo de paredes arenosas, enfeitadas com desenhos de gatos. Em suma, entre o caos e a madeira, o lugar lembrava uma tasca da infância.

Sentaram-se ao balcão esperando aparecer o cozinheiro, um homem gordo apertado numa veste de quimono curta por cima de uma calça combinando. Uma garçonete foi lhes levar as toalhinhas quentes. Rose-san eat fish or meat?, perguntou o motorista. Fish, ela respondeu. Ele fez o pedido, em japonês. Beer?, indagou ainda. Ela aquiesceu. Calaram-se. Ao redor, vibrava uma presença que o silêncio deles revelava, um perfume de inocência espalhado sobre a desordem do local, e Rose sentia o mundo palpitar de uma maneira antiga — antiga, sim, ela pensou, embora isso não tivesse o menor sentido. E também: Não estamos sozinhos aqui. A garçonete pôs na frente deles, sobre uma bandeja laqueada, uns pequenos recipientes cheios de comidas desconhecidas, um potinho com sashimis, uma tigela de arroz, outra de sopa clara. Ela disse alguma coisa num tom de desculpa. Fish coming soon, traduziu o motorista. O cozinheiro pôs sobre a grelha, espetados num palitinho de madeira, dois peixes com ares de cavalinha. Ele transpirava muito e enxugava o rosto com uma toalha branca mas Rose não sentia a repulsa que teria sentido em Paris. Bebeu um gole de cerveja gelada, mordeu um sashimi branco. Ink fish, disse-lhe o motorista. Ela mastigou devagar. A seda do molusco lhe acariciava o céu da boca ao mesmo tempo que imagens de gatos, lagos, cinzas passavam em seu espírito. Sem saber por quê, teve vontade de rir até que, passado um instante, uma lâmina afiada se abatesse — mas em cima de quê? —, e daquilo que deveria ser dor nasceu um prazer agudo. Deu outro gole na cerveja, provou um sashimi vermelho (fat tuna, ele disse) que revirou seus sentidos; tanto prazer nascido da nudez, maravilhou-se Rose, enquanto a garçonete trazia os peixes grelhados. Debateu-se com os pauzinhos para separar as carnes, concentrou-se, acabou adotando uma estratégia lenta, minuciosa, e triunfou. O gosto do peixe era sutil, ela já não tinha fome, sentia-se inabitualmente sossegada.

Voltaram para a casa. Lá, um homem, um ocidental, a esperava. Ele a cumprimentou polidamente quando ela entrou na sala do bordo. A seu lado, Sayoko, com as mãos cruzadas sobre as peônias, olhava para ela. Rose ficou em silêncio. O homem deu um passo em sua direção. Ela notou que ele se movia de um modo especial, que ele fendia o espaço tornado líquido, onde navegava entre duas águas de real. Notou também os olhos claros, azuis ou verdes, a ruga que lhe barrava a fronte.

— Meu nome é Paul — ele disse. — Eu era o assistente de seu pai.

Como ela não dizia nada, ele acrescentou:

— Talvez não saiba que ele era marchand de arte?

Ela fez que não com a cabeça.

— Marchand de arte contemporânea.

Ela olhou ao redor.

— Não vejo nada de contemporâneo aqui — disse.

Ele sorriu.

— Há vários tipos de arte contemporânea.

— Você é francês?

— Belga. Mas vivo aqui há vinte anos.

Ela calculou que ele tinha sua idade, perguntou-se o que o levara ao Japão aos vinte anos.

— Estudei japonês na universidade de Bruxelas — ele disse. — Quando cheguei a Kyōto, encontrei Haru e trabalhei para ele.

— Eram amigos? — ela perguntou.

Ele hesitou.

— Ele foi meu mentor mas no final, sim, podemos dizer que éramos amigos.

Sayoko dirigiu-se a ele e, respondendo com um aceno de cabeça, ele fez sinal a Rose para que se sentasse à mesa baixa à esquerda do bordo. Ela teve a sensação de que a vida dentro dela se esvaziava como um odre furado. Sayoko trouxe chá em xícaras de cerâmica granulada, com relevos de terra lavrada. Rose rodou a sua entre as mãos, acariciando as asperezas.

— Keisuke Shibata — disse Paul.

Ela olhou para ele, sem entender.

— O ceramista. Haru o representa há mais de quarenta anos. Ele também é poeta, pintor e calígrafo.

Ele deu um gole no chá.

— Qual é o seu grau de cansaço? — ele perguntou. — Gostaria de ver com você a organização dos próximos dias, você tem de me dizer como se sente.

— Como me sinto? — ela disse. — O cansaço não me parece ser um parâmetro maior.

Ele a encarou. Ela ficou desconcertada, esperou.

— Não — ele disse —, mas mesmo assim gostaria de saber. Dos outros parâmetros falaremos amplamente.

— Quem lhe disse que tenho vontade de falar? — ela perguntou com uma agressividade que logo lamentou.

Ele não disse nada.

— O que há para fazer? — ela perguntou.

— Falar e ir ao tabelião na sexta-feira.

Ele olhou para ela, sempre nos olhos, expressando-se calmamente, sem pressa. Sayoko reapareceu por uma porta que ficava do outro lado do bordo, foi lhes servir mais chá, ficou ali, em pé, com o olhar interrogante fixo em Paul, as mãos sobre suas peônias rosa.

— Há uma peônia na sala de banhos — disse Rose. — Seu nome é Hyoten. É cultivada na ilha de Daikonshima, em terra vulcânica. "Hyoten" quer dizer alguma coisa em japonês?

— Quer dizer "água gelada", ou mais exatamente "a temperatura da água gelada", "o ponto de congelamento" — ele respondeu.

Sayoko olhou para Rose.

— Volcano ice lady — ela disse.

— Você é botânica — Paul recomeçou.

E?, pensou Rose com a mesma irritação que sentira diante das flores de magnólia na entrada.

— Ele me falava o tempo todo de você — acrescentou. — Não há um dia em que não tenha pensado em você.

Ela acusou o golpe, como uma bofetada. Ele não tem o direito, pensou. Quis falar mas só conseguiu balançar a cabeça sem saber se a cabeça concordaria, se se recusaria, se ela ao menos compreendia as palavras que ele proferira. Ele se levantou, ela o imitou mecanicamente.

— Deixo-a descansar mas volto daqui a pouco — ele disse.
— Vamos jantar fora.

No seu quarto, ela se jogou sobre os tatames, com os braços cruzados sobre o peito. Delicadamente espetados num vaso preto, com a cabeça inclinada, o porte delicado, brincavam três cravos vermelho-sangue. Eram da espécie chinesa, com pétalas simples e hastes frágeis, de um carmesim excepcionalmente intenso. Ela recebeu como uma reprimenda as três corolas, a candura das flores simples, seu frescor perfumado; alguma coisa, na disposição delas, a perturbava; uma onda de exasperação a atravessou. Adormeceu. Duas batidinhas à porta a acordaram sobressaltada.

— Yes? — disse.
— Paul-san waiting for you — disse a voz de Sayoko.

Ela teve um instante de hesitação, e lembrou-se.

— Coming — disse, pensando: Campainha, convocações, saídas controladas, é pior do que a escola.

Perguntou-se quanto tempo tinha dormido. Muito tempo, pensou. Estou com o horário defasado, estou sempre defasada. No espelho do banheiro, viu que o travesseiro deixara marcas atravessadas em seu rosto. Num impulso, pegou um tubo de batom e depois o devolveu ao lugar. *Ele me falava o tempo todo de você*. Jogou o tubo de batom para o outro lado do banheiro, passou de novo pelo quarto, olhou os cravos, acalmou-se.

Na sala do bordo, encontrou Paul.

— Vamos? — ele perguntou, indo em sua direção.

Pela primeira vez deu-se conta de que ele mancava ligeiramente e atribuiu a essa anomalia o jeito que ele tinha de deslizar pelo mundo como um peixe de rio, de fazer com que o desequilíbrio gerasse a fluidez. Seguiu-o pelo vestíbulo onde as flores de magnólia rivalizavam entre si em pulos silenciosos. Atravessaram o jardinzinho que precedia a rua. As azaleias exibiam em fogos de artifício estrelados suas pétalas rosa e malva. Ao pé das lanternas de pedra, as hostas jorravam do mesmo musgo raso e aveludado que se via por todo lado; à direita, uma fileira de bordos; à esquerda, um muro branco onde, no crepúsculo nascente, flutuavam as sombras de um pequeno bosque de bambus.

— Aonde vamos? — ela perguntou.

— A Kyōto. Haru não podia sair sem ser reconhecido. Kitsune era seu refúgio secreto.

Como pela manhã, o motorista os levou para a outra margem e, de novo, desfilaram as ruas de concreto e os fios elétricos. Diante do restaurante, à direita da porta corrediça, uma lanterna vermelha pareceu a Rose um farol na noite. Ali dentro, a fumaça turvava o olhar. No fundo, atrás de um bar atulhado de garrafas de saquê, subiam eflúvios de carne grelhada; na parte da frente, quatro mesas de madeira escura, uma penumbra iluminada por algumas lâmpadas suspensas, nas paredes pintadas de preto cartazes de mangás, marcas publicitárias, figurinhas de super-heróis; por toda parte, engradados de cerveja, garrafas enigmáticas, livros ilustrados; no conjunto, uma atmosfera insólita, maliciosa e de madeira. Todos os restaurantes deles parecem sótãos de infância?, ela pensou, dando-se conta de que estava com fome.

— Eu imaginava o Japão asséptico — ela disse —, e não que cheirasse a fritura.

— Não estamos entre protestantes — ele disse —, e sei do que estou falando. O Japão é majoritariamente um alegre bordel.

— Não na casa dele — ela disse, incapaz de dizer *na casa de meu pai*.

— Majoritariamente — ele repetiu.

O chef apareceu diante deles na forma de um rapaz de óculos, testa apertada por um pano, dentes proeminentes. Rose percebeu sua curiosidade tímida quando Paul trocava algumas palavras amistosas com ele, e depois pareceu-lhe ouvir o nome de seu pai e o rosto do rapaz mudou. Ele tirou os óculos, limpou-os. Fez-se um silêncio e em seguida ele disse alguma coisa olhando para ela.

— Bem-vinda — Paul traduziu.

Só isso?, ela pensou.

— Você come carne? — Paul perguntou.

— Que tipo de restaurante é este aqui?

— Yakitori. Espetos grelhados.

— Para mim está bom — ela disse.

— Cerveja ou saquê?

— Os dois.

Houve um breve diálogo entre os dois homens, e depois ela ficou na frente de Paul numa hesitação sem palavras que a deixou pouco à vontade. Sobressaltou-se quando o chef pôs diante deles dois grandes copos de cerveja gelada. O mesmo pensamento da manhã — *não estamos sozinhos aqui* — a atravessou de novo, e em seguida: *O que é este país, onde a gente nunca está só?*

— Haru vinha de uma família modesta — disse Paul. — Aqui, ele se lembrava dos yakitoris de sua infância, nas montanhas, em Takayama.

Ele levantou o copo.

— À sua saúde — ele disse, e sem esperar deu um grande gole.

Curiosamente, ela pensou nos três cravos vermelhos dentro do vaso preto. O chef pôs sobre a mesa uma série de espetos e uma garrafa de saquê. Ela esvaziou a metade do copo de cerveja e se sentiu melhor.

— Saquê de Takayama — disse Paul ao servi-la.

— De Takayama? Você está me aplicando o golpe do senti-mentalismo? — ela perguntou.

Ele a olhou nos olhos daquele modo direto e límpido que a desconcertava, e deu um gole. Ela observou a curva de suas so-brancelhas, sua fronte alta riscada por uma ruga vertical. O sa-quê estava fresco e era frutado, doce no palato, os espetos, perfu-mados. A embriaguez estava chegando. Ela se deu conta de que comiam em silêncio já fazia um tempinho. O jantar chegava ao fim e eles quase não tinham falado. Ela estava relaxada, já não sentia o embaraço do início. Quando ele recomeçou a falar, ela teve a impressão de ser arrancada de um devaneio pacífico.

— O maior desgosto de Haru terá sido nada poder lhe dar enquanto estava vivo.

Ele não pode fazer isso, ela pensou, ele não pode continuar a me dar socos no estômago de surpresa.

— E por quê, então? — ela perguntou exasperada.

Ele olhou para ela, sem jeito.

— Você sabe, imagino — disse.

Eu sei, sim, eu sei, ela pensou furiosa.

— Por que ele lamentava? — ela ainda perguntou.

Ele deu um gole na cerveja. Respondeu falando lentamen-te, escolhendo as palavras com cuidado.

— Porque acreditava que o dom torna vivo.

— Ele era budista? — ela perguntou. — E você? Você tam-bém é um crédulo apalermado?

Ele riu.

— Eu sou ateu — respondeu. — Mas Haru era budista à sua maneira.

— Qual maneira?

— Era budista por amor à arte. Acreditava que era a religião da arte por excelência. Mas também pensava que era a reli-gião do saquê.

— Ele bebia muito?

— Sim, mas nunca o vi bêbado.

Ele esvaziou o copo. Ela o encarou com hostilidade.

— Eu vim porque me pediram.

— Duvido muito — ele disse.

Ela riu com uma amarga ironia.

— O que ele pode me dar agora? — ela perguntou. — O que a ausência e a morte podem dar? Dinheiro? Desculpas? Mesas laqueadas?

Ele não respondeu. Não mais se falaram mas enquanto pegavam de novo o carro que os esperava na rua, enquanto a noite escorria sobre eles como uma seiva escura, enquanto atravessavam de novo o jardim das lanternas e Paul se despedia diante dos ramos de magnólia, ela percebeu em si mesma, sem saber o que aquilo significava, o trabalho das flores. Sentia que alguma coisa, naquelas cascas de árvore e naquelas corolas, tremia e tentava simpatizar com ela. Exausta e percorrida por pensamentos caóticos, dormiu. À noite, teve um sonho em que compreendia a disposição dos cravos: eles pediam para ser pegos, solicitavam os gestos da oferenda. Ela aproximava a mão, apertava as hastes, retirava-os da água, deixava-os pingar sobre o tatame. Depois, na penumbra do mesmo quarto em que dormia, via-se entregar os três cravos vermelho-sangue a Paul e lhe dizer: Para quem, senão, eu oferecia minhas flores com um coração leve?

3.

Dizem que o poeta Kobayashi Issa, que no tempo das Luzes na Europa viveu num Japão ainda feudal uma longa e dolorosa vida, foi um dia ao Shisen-dō, um templo budista zen de Kyōto, e ficou muito tempo em cima dos tatames admirando o jardim. Um mongezinho foi lhe elogiar a finura da areia e a beleza das pedras ao redor das quais tinham riscado um círculo de extrema pureza. Issa permaneceu mudo. O mongezinho louvou com eloquência a profundidade da cena mineral; Issa continuava calado. O outro, um pouco espantado com aquele silêncio, fez o elogio categórico da perfeição do círculo. Então Issa, mostrando com a mão, mais além da areia e das pedras, o esplendor das grandes azaleias, lhe disse: Se saíres do círculo, encontrarás as flores.

Encontrarás as azaleias

Rose acordou com plena consciência da lua. Na moldura da janela aberta, viu-a solitária e nacarada, e uma imagem se formou em seu espírito, uma visão do campo e das vinhas que lhe pareceu insólito estar voltando para obcecá-la ali. Fazia calor, as cigarras cantavam. Ela ficou por um instante de olhos abertos, a respiração lenta. O mundo girava e ela estava imóvel, os ventos passavam e ela permanecia. Naquele silêncio, naquela escuridão, ela não era de lugar nenhum, não era de tempo nenhum. Voltou a dormir.

Quando acordou, pensou no jantar da véspera, em seu halo de indefinível presença. Tomou um banho, vestiu-se e foi à sala do bordo onde encontrou Sayoko dentro de um quimono claro com uma obi laranja salpicada de libélulas cinza. Enquanto a japonesa lhe fazia sinal para sentar-se e lhe trazia a mesma bandeja da véspera, ela admirou mais uma vez a textura diáfana de suas pálpebras.

— Rose-san sleep well? — perguntou Sayoko.

Rose assentiu com a cabeça.

— Driver say you meet kami yesterday — ela acrescentou.

— Kami?

— Kami. Spirit.

Rose olhou para ela, perplexa. *Encontrei um espírito ontem?* E depois se lembrou da inglesa do Pavilhão de Prata e do olhar do motorista quando ela se afastara.

— The British woman? — perguntou.

Sayoko fez cara de descontente.

— Kami — ela repetiu.

Depois, com um vinco de preocupação na testa:

— Bad kami.

Ela se afastou a passinhos teimosos. Rose gostou de aperfeiçoar sua técnica de corte do peixe com os pauzinhos, um peixe desconhecido, macio, delicado, que ela mastigou com uma satisfação de estudante. Desistiu do arroz, serviu-se de uma xícara de chá verde, a huma. Uma onda de emoção a fez se levantar, buscar o ar, abrir a janela que dava para o rio. A força da água a repugnou, voltou precipitadamente, deu de cara com o bordo. Entre céu e terra, enraizado em seu poço de luz, ele absorvia as imagens nascidas da fragrância das folhas cortadas do chá verde — as lágrimas, o vento sobre os campos, a dor. Enquanto a visão se dissipava, ela ouviu a voz de sua avó que dizia: Por favor, não chore diante da menina. Depois, como uma porta deslizasse em algum lugar da casa, Rose levou um susto. Fendendo o ar a seu jeito fluido e quebrado, Paul vinha a seu encontro com os braços cheios de peônias rosa.

— Pronta para dar uma volta? — perguntou a Rose enquanto Sayoko o descarregava das flores.

Pega desprevenida, ela assentiu com a cabeça. Lá fora o motorista os esperava. Fazia um dia lindo, um pouco fresco, e ela se surpreendeu por se sentir leve. Vamos, disse, isso não vai durar, isso não dura nunca. Cruzaram o rio de novo mas, dessa vez, subiram ao longo das colinas na direção do norte. Um pouco depois, pegaram à direita uma rua em declive passando por um bairro residencial com casas luxuosas. O motorista parou diante de um pórtico de madeira.

— O Shisen-dō — disse Paul. — Meu preferido nesta época.

— É um templo? — ela perguntou.

Ele aquiesceu. Subiram alguns degraus e seguiram por uma alameda pavimentada, margeada de grandes bambus cujos caniços cinza e colmos amarelos formavam como que um teto de sílex e de palha. Dos dois lados do caminho, uma faixa de areia clara estriada de linhas paralelas parecia um riacho mineral, Rose sentia a carícia da onda calma, seu grão de delicadeza, sua alegria de água clara. Subiram alguns degraus e chegaram em frente ao templo. Diante do muro que o cercava, uma praia da mesma areia acolhia um único arbusto de azaleias. Descalçaram-se e entraram. Depois de um corredor estreito, uma galeria com tatames abria-se para o cenário do jardim. Paul sentou-se no meio da esplanada, ela se instalou ao lado. Não havia ninguém.

Ela não via nenhuma outra coisa. Ao redor, havia uma cena vegetal, brisa nas árvores, arbustos arredondados, mas toda a sua vida, seus anos e suas horas cabiam nas linhas curvas que o ancinho traçara em volta de uma grande pedra, de uma azaleia e de um tufo de hostas, depositados sobre uma areia tão fina que polvilhava o olhar. Daquela elipse perfeita nascia o universo; o espírito de Rose dançava com a areia, desposava os rastros, girava em torno da pedra e das folhas, recomeçava; não havia nada além daquele passeio sem fim pelo anel dos dias, pelo circuito do sentido; ela pensou que estava enlouquecendo. Quis se afastar dali, desistiu, deixou-se levar pela embriaguez do circuito mineral. Olhou mais longe e não viu nada. O mundo se refugiara naquele fragmento de areia e de círculo.

— Vem-se aqui sobretudo na primavera para admirar as azaleias — disse Paul.

Uma intuição a atravessou como uma flecha.

— Foi ele que lhe pediu para passear comigo assim? Ele fez o programa? O Pavilhão de Prata, este templo?

Ele não respondeu. Ela observou de novo a elipse, a areia, as linhas de seus mundos interiores. Mais longe, grandes azaleias formando uma moita criavam no jardim seco uma muralha verde-clara.

— Eu não tinha visto as azaleias — ela disse —, estava olhando o círculo.

— Na tradição zen, os círculos são chamados de ensō — ele disse. — Podem ser abertos ou fechados.

Rose ficou surpresa com o interesse que as palavras dele lhe despertavam.

— Qual é o significado deles? — perguntou.

— O que você quiser — ele respondeu. — Aqui, o real importa pouco.

— É por isso que ele queria que você me transportasse de um lugar para outro como um pacote volumoso, para dissolver a realidade no círculo, afogá-la na areia?

Ele não fez nenhum comentário, continuou a admirar o jardim.

— Você é botânica e não olha as flores — ele disse finalmente.

Não havia agressividade nem julgamento em sua voz.

— Meu poema favorito é de Issa — continuou.

Recitou-o em japonês e depois traduziu.

nós andamos neste mundo
no teto do inferno
olhando as flores

Ela tomou consciência de um som recorrente, o mesmo desde que haviam chegado ao templo, uma espécie de estalo seco abafando em intervalos regulares uma música de água viva. De repente, alguma coisa mudou. A areia se modificava, se retraía, corria numa ampulheta familiar, desaparecia enquanto a cena se dilatava, desdobrava-se nas árvores, nos cantos dos pássaros, nos murmúrios da brisa. Agora, ela percebia o riacho que corria mais embaixo, o bambu vazio balançando contra o leito de pedra com um estalo nítido, partindo de novo no sentido contrário, continuando o curso da água; os bordos, os lírios-do--brejo e, sobretudo, as azaleias enraizadas na areia antiga; um frêmito a percorreu e depois amainou e ela não foi mais do que Rose perdida num jardim desconhecido. Mas em algum lugar, em alguma parte onde o real não importava, ela planejava olhar as flores. Levantaram-se.

— Suponho que vai me levar para almoçar onde ele ordenou — ela disse.

— Os restaurantes não são de iniciativa dele — respondeu. — Mas, antes, gostaria de lhe mostrar uma coisa.

— Você só tem isso para fazer, cuidar de mim? — ela perguntou. — Não tem família? Não trabalha?

— Tenho uma filha, ela está em boas mãos — ele disse. — Quanto ao trabalho, isso vai depender de você.

Ela meditou um instante em sua resposta.

— Quantos anos tem sua filha?

— Dez anos. Chama-se Anna.

Ela não ousou indagar sobre a mãe de Anna, ficou contrariada ao pensar que ela existia, expulsou-a de sua mente.

* * *

Na casa, no vestíbulo, as peônias rosa da manhã desenhavam uma figura complexa. Ela seguiu Paul, passaram em frente ao seu quarto e foram até o fim do corredor. Ele correu uma porta diante da qual, na véspera, ela recuara. Era uma sala com tatames e dois grandes janelões formando um ângulo, um dando para o rio, o outro para as montanhas do norte. Diante do leste, uma mesa baixa com um abajur de papel, material de caligrafia, algumas folhas esparsas; nas paredes opostas às janelas, grandes painéis de madeira clara. Ela descobriu primeiro o rio, depois as montanhas com cristas superpostas como tecidos, e por último as fotografias cuidadosamente espetadas nos painéis de madeira.

Numa delas, via-se uma garotinha ruiva num jardim de verão. Ao fundo, grandes lilases brancos escondiam um muro de pedras secas. À direita, o olhar se perdia num vale com colinas verdes e azuis, um rio que serpenteava, um céu de nuvens rechonchudas. Ela olhou o conjunto das fotografias e, passado um momento, compreendeu que aquela era a única que não tinha sido roubada. Todas as outras haviam sido tiradas com teleobjetiva sem que ela tivesse percebido, de diversos ângulos e em todas as estações do ano.

— Como ele a conseguiu? — ela perguntou aproximando-se da garotinha ruiva.

— Paule — ele disse.

— Como?

— Um dia, Haru recebeu dela essa foto.

— Só isso?

— Só isso.

Ela percorreu com os olhos os painéis. As fotos roubadas a mostravam em todas as idades com Paule, sua avó, com amigas, namorados, amantes. Ajoelhou-se nos tatames, baixou a cabeça como uma arrependida. A evidência a que se curvava e que suplicava reavivou sua raiva e ela ergueu a testa.

— Não há uma só foto com minha mãe — disse.

— Não.

— Ele me espionou durante toda a minha vida. E nem uma só foto com ela.

— Ele não a espionou — disse Paul.

Ela cruzou seu olhar límpido, sentiu-se acuada, exasperada.

— Como se chama isso, então? — perguntou.

— Foi tudo o que Maud lhe deixou.

— Toda uma vida sem mãe — ela disse.

Levantou-se.

— E sem pai.

Ajoelhou-se de novo.

— Você tinha ideia de que ele zelava por você? — perguntou Paul.

Ela não respondeu.

— Você está furiosa — ele disse.

— Você não estaria? — ela murmurou mostrando as fotografias com um gesto de raiva, mortificada de ouvir sua voz tremer.

Houve ainda um momento perdido entre dois estratos de percepção. Ela olhou para a garotinha ruiva no jardim de lilases, a raiva cresceu mais e depois, sem prevenir, se metamorfoseou. Em criança, ela conhecera esse esboço de vida plena que se chama felicidade; o vazio, em seguida, engolira até mesmo sua lembrança. Agora, essa lembrança ressurgia como uma tigela transbordante de belas frutas; ela cheirava o perfume dos pêssegos maduros, ouvia os insetos zunirem, sentia o tempo enlanguescer; em algum lugar tocavam uma melodia, na beira do que se chama coração ou centro, e ela se deixou desviar para um mundo que se tornara líquido. A vida tecida de fios de prata que serpenteavam entre as plantas do jardim — ela seguia um deles, mais brilhante e mais ardente do que os outros, e dessa vez ele se esticava muito tempo, prosseguia até o infinito.

— A raiva nunca é solitária — disse Paul.

Ela se afastou desse transe neutro. Num estrondo silencioso, as curvas do círculo se recompuseram e ela tentou em vão reter as belas frutas como se faz ao despertar de um sonho.

— Segundo Sayoko, o motorista disse que eu encontrei um kami no Pavilhão de Prata — ela disse. — Um bad kami.

Ele se sentou a seu lado.

— Eu não encontrei ninguém lá, apenas troquei umas palavras com uma turista inglesa.

— Sayoko e Kanto têm uma concepção bastante pessoal dos espíritos — ele disse —, não tenho certeza de que a classificação deles seja ortodoxa.

— A inglesa me disse que se a gente não está pronto para sofrer, não está pronto para viver.

Ele deu um risinho que não se dirigia a ela.

— O sofrimento não serve para nada — ela disse. — Para absolutamente nada.

— Mas está aí — ele disse. — Que devemos fazer dele?

— Devemos aceitá-lo porque ele está aí?

— Aceitá-lo? — ele repetiu. — Não creio. Mas é o problema do ponto de congelamento. Imediatamente acima, o elemento é líquido. Imediatamente abaixo, é sólido, prisioneiro de si mesmo.

— O que isso significa? Que é preciso sofrer, de qualquer maneira?

— Não, quero somente dizer que passado o ponto de congelamento, tudo se imobiliza junto, o sofrimento, o prazer, a esperança e o desespero.

Hyoten, pensou Rose. Não aguento mais flores!

— Na família somos monomaníacos, minha mãe era só tristeza, eu sou só raiva — ela disse.

— E sua avó? — ele perguntou.

Ao sair da sala, ela deu uma olhada para trás. Na moldura da baía, os cumes azulados das montanhas se perdiam numa bruma de bom tempo que subia da terra, apagava arestas e desníveis, envernizava o mundo com uma tinta invisível, com uma aguada translúcida e poderosa.

No carro, ela fez cara de criança embirrada. O silêncio lhe pesava mas ela resistia a quebrá-lo; o restaurante que Paul escolhera lhe agradou, ela se conteve para não cumprimentá-lo pela escolha. Foram sentar-se no bar. Tudo era de madeira clara e lisa, sem enfeites, de um despojamento de cabana. Diante deles, numa alcova cintilante de luz, galhos de bordo jorravam de um vaso de terracota, áspero como uma concha de ostra. Paul fez o pedido e duas cervejas logo chegaram. Ela pensou que iam almoçar em silêncio mas depois de alguns goles ele falou.

— Haru nasceu nas montanhas perto de Takayama. A casa familiar ficava na beira de uma torrente que congelava três meses por ano. A família tinha um comércio de saquê na cidade, seu pai descia todos os dias a pé da montanha. Haru me levou lá, diante de um grande rochedo no meio do vau, e me disse que crescera olhando a neve cair ou derreter em cima daquela pedra. A rocha criou sua vocação, com as árvores na neve, as cascatas e o gelo.

O gelo, sempre, pensou Rose.

— Aos dezoito anos, veio para Kyōto sem dinheiro nem formação mas muito depressa conheceu todos os que tinham ligação com a *matéria* — ceramistas, escultores, pintores e calígrafos. Fez fortuna graças a seu trabalho. Tinha um senso inato dos negócios. E um charme alucinante.

Ele a olhou nos olhos. Mais uma vez ela ficou irritada, pensou com rancor nas magnólias inefáveis do vestíbulo.

— No entanto, nem um só dia de sua vida foi dedicado ao dinheiro. O que ele queria era a liberdade de honrar a seu modo a pedra de seu rio natal. E, do momento em que você nasceu, a de deixar para a filha uma herança que criaria bálsamo.

— Bálsamo? — ela repetiu.

— Bálsamo — ele disse.

Ela deu um gole na cerveja. Sua mão tremia. Diante deles apareceu um cozinheiro que se inclinou antes de separar os pedaços de peixe cru numa pequena vitrine refrigerada, à esquerda dos bordos. Ela não tinha prestado atenção no fato de que estavam diante de uma fileira de carne crua, diante dos tentáculos de polvo e de ouriços laranja; via apenas o esforço que devia fazer para afastar a violência e as palavras — a violência e os mortos, pensou, invadida por um cansaço logo contrariado pela curiosa excitação que aquele país de árvores e pedras lhe provocava, por intermitência. O cozinheiro colocou na frente de cada um o prato quadrado de cerâmica marrom e cinza, cheio de calombos como uma trilha de montanha, e depois, sobre aquela superfície de terra, um gengibre marinado e um sushi de atum gorduroso a que ela se agarrou como a uma boia, ávida por ter de novo um corpo, por fugir de seu espírito, por ser não mais do que um estômago. A conjunção do peixe macio com o arroz avinagrado a acalmou. No alívio de estar de novo encarnada, pensou que compreendia seu pai, que ela seria salva pela *matéria*, pelo barro do mundo, por um curativo de carne e arroz. Não mais se falaram durante o almoço. Diante das peônias rosa do vestíbulo, ele se despediu dizendo: Volto para buscá-la esta noite para jantarmos, Kanto fica à sua disposição se quiser ir à cidade durante a tarde.

* * *

Ela se esticou sobre os tatames de seu quarto. Caminho no teto do inferno sem olhar as flores, pensou, e ao mesmo tempo reviu as grandes azaleias do Shisen-dō. Quando ia adormecendo, viu também um círculo belíssimo que se formava e se reformava diante de seus olhos internos. Com uma tinta laqueada, profunda, ele pairava entre sonho e realidade, e traçava uma espiral requintada. Depois, como ela se encantasse com aquela fluidez sem fim, o círculo se imobilizava ao mesmo tempo que se abria numa brecha por onde vagueavam algumas nuvens.

4.

Num dia do período Heian, no tempo em que Kyōto era a capital de um arquipélago perdido de solidão, uma garotinha foi no alvorecer levar arroz para as divindades do santuário de Fushimi Inari, a uma hora de marcha da cidade. Quando se aproximava do altar, viu ao lado que tinham florido à noite pequenos lírios pálidos pintados de azul, com estames laranja e um coração violeta.

Esperava-a uma raposa, sentada entre as flores.

Depois de um momento a olhá-la, ela lhe entregou arroz mas a raposa sacudiu tristemente a cabeça até que, desamparada, ela colhesse um lírio e o aproximasse de seu focinho. Ela pegou a flor, mastigou-a com delicadeza e em seguida lhe falou numa língua que ela podia compreender — infelizmente, desde então se perdeu a memória de suas palavras. O que se sabe, em compensação, é que a garotinha se tornou a maior literata do Japão clássico e que escreveu toda a sua vida sobre o amor.

Ela colhe um lírio

Rose flutuou um momento num meio-sono ninado por uma embriaguez de círculo aberto mas, breve, a sensação sumiu. Pela janela, viu as águas do rio. Pegou seu chapéu de algodão e saiu do quarto.

Não havia ninguém na grande sala do bordo. Ela passou a mão no vidro transparente, ouviu atrás de si os passinhos arrastados de Sayoko. Virou-se, reconciliou-se com o papel de arroz das pálpebras baixadas. Ficaram um instante frente a frente numa compreensão muda de folhagens, depois o encanto se quebrou e Rose pigarreou.

— I'm going out for a short stroll — disse.

Passado um instante, acrescentou:

— Promenade.

Atravessou a sala mas no último momento voltou atrás.

— Volcano ice lady? — perguntou.

Sayoko a olhou e fez um sinal que significava: Espere-me.

Desapareceu e depois reapareceu tendo na mão um retângulo de papel branco. Rose o pegou com precaução, virou-o.

— Daughter of father — disse Sayoko.

Na fotografia amarelada, via-se um menino de uns dez anos virado de lado para a objetiva; atrás dele, uma torrente de água branca entre rochedos nevados; mais longe ainda, pinheiros de montanha, outras pedras geladas, uma vegetação rasteira de trevas.

— Same look — disse Sayoko. — Ice and fire.

Rose resistiu à vontade de se ajoelhar, de baixar a cabeça, de deixar o mundo se abater sobre sua nuca. Escrutou os olhos do garoto. A intensidade de seu olhar abria no cenário de neve e de água branca um poço de escuridão. Devolveu a foto a Sayoko, deu meia-volta e fugiu. No jardim, parou. *Pareço com ele.* Passou pelo portão de bambu, contornou a casa e chegou ao caminho de areia ao longo do rio. *Sou ruiva e pareço com ele.* Andou por um tempo, afogada na força dos olhos negros, no poder da torrente. A linha que separa a água e a terra, a linha entre a água e o céu flutuavam, desenhavam um território virgem sem vento nem calor, sem gelo nem cantos de pássaros, um enclave em que a matéria se dissolvia no vazio. Um ciclista passou rente a ela, que levou um susto, se deu conta de que estava de punhos cerrados, voltou ao mundo. Fazia um belo dia, uma grande garça-real postava-se preguiçosamente numa enseada protegida por juncos, as pessoas passavam. Logo as margens aumentaram, o caminho de areia tornou-se um areal, o matagal tomou na brisa uma graça de plumas. Alguma coisa virava de pernas para o ar. Ela pensou: Quem algum dia conhece seu pai pela criança que ele foi? E, surpresa e transtornada, indignada também, teve a sensação de receber um favor.

Diante dela, sobre uma ponte grande, passava uma multidão de gente. Ela subiu por uma rampa de pedra, encontrou-se no meio da torrente, carregada como um fiapo na direção do oeste. A rua levava a uma galeria coberta, ladeada por lojas, restaurantes, salões de massagem. Ela caminhara muito tempo, estava longe da casa, sem dinheiro nem telefone. Pegou à direita e um pouco mais longe entrou numa papelaria com perfume de tinta e de incenso, aproximou-se dos rolos virgens suspensos contra a parede, compreendeu que serviam para acolher as caligrafias traçadas em cartões quadrados, brancos e preciosos, que eram vendidos sob os rolos, e cujos cantos eram protegidos por finas pateras de algodão. Ao lado, havia também incenso, uns porta-incensos, pincéis, papéis sofisticados, caixas com motivos de flores e folhas; gostaria que aquele mundo fosse o seu, que nele pudesse dissolver-se num abrasamento de madeira perfumada, num sonho de pétalas e nuvens. Enquanto roçava com o dedo um pincel de cabo carmesim, sentiu uma presença e, ao se virar, viu-se diante da inglesa do Pavilhão de Prata.

— Kyōto não é tão grande, a gente acaba se reencontrando — disse a mulher.

E estendendo-lhe a mão:

— Meu nome é Beth. Sua viagem está correndo bem?

Usava um vestido de seda branca e, dos ombros, caía-lhe uma elegante veste comprida.

— Maravilhosamente bem — respondeu Rose —, divirto-me como louca.

— Estou vendo — disse Beth, sem que ela soubesse determinar se era ironia.

— Você mora aqui? — perguntou Rose.

— Mais ou menos — respondeu. — E você? O que a traz ao Japão?

Rose hesitou e depois, surpresa, como quem se joga de uma falésia:

— Vim ouvir o testamento de meu pai.

Houve um silêncio.

— Um pai japonês? — perguntou Beth.

Rose assentiu com a cabeça.

— Você é a filha de Haru? — a inglesa também perguntou.

Houve mais um silêncio. Sou a filha de Haru?, interrogou-se Rose. Sou a filha de um garotinho das montanhas geladas.

— Você o conhecia?

— Sim — respondeu Beth —, eu o conhecia muito bem.

Ela deu uma olhada por cima do ombro de Rose.

— Você está sendo seguida — disse.

Rose avistou Kanto em pé, diante dos palitinhos de incenso.

— Tome — disse Beth entregando-lhe um cartão. — Ligue quando tiver tempo.

Ela fez um sinalzinho divertido na direção do motorista e saiu da loja. Rose se aproximou de Kanto.

— Shall we go back home? — pediu.

Ele pareceu aliviado, inclinou-se, fez-lhe sinal para segui-lo. Na galeria, pegaram à direita e logo estavam ao ar livre, à beira de uma grande avenida onde ele gritou por um táxi. Ela se divertiu com as rendas brancas nos assentos, as luvas brancas e o boné de opereta do motorista. Ela se sentia mordaz — *sim, mordaz, se isso tem algum sentido, quero morder, quero viver para morder*. No jardinzinho na frente da casa, as azaleias malva murchavam com requinte, as pétalas amassadas segundo dobras deliciosas, os galhos engastados de estrelas moribundas. Atravessou o vestíbulo roçando com o dedo uma peônia. Na sala do bordo, encontrou Paul sentado no chão, as pernas cruzadas, as costas apoiadas na vidraça. Lia. Levantou os olhos para ela.

— Estou pronta para o próximo roller coaster água com açúcar — ela disse.

— O sarcasmo lhe cai bem — ele respondeu.

Confusa, ela se calou.

— Em criança você era travessa — ele acrescentou levantando-se. — Vê-se nas fotos.

Ela detestou o que ele acabara de dizer. Para disfarçar, apontou o livro.

— O que está lendo? — perguntou.

— Poesia.

Os ideogramas da capa tinham um traçado de bambu ao vento; na brecha de um círculo de tinta perfeito vagavam pássaros e nuvens.

— De quem é?

— Kobayashi Issa — ele respondeu.

— Ah, sim — ela disse —, o inferno, as flores.

— O teto do inferno — ele disse.

Rose teve a impressão de que estavam passando diante do restaurante dos espetos da véspera, e depois, perto do Pavilhão de Prata, viraram na rua em que ela almoçara com o motorista. De fato, o restaurante ficava quase em frente à tasca da infância e ela de novo se encontrou em terra perdida, em devaneio de bosque, em sonho de vida fugidia. À direita, num espaço tendo ao alto divisórias de papel, tatames e mesas baixas recebiam os comensais. À esquerda, um balcão precedia um espaço de trabalho cheio de prateleiras desabando de tanta louça magnífica. Tudo era marrom, cinza, ocre e quente; nas paredes arenosas, caligrafias, rolos; por toda parte lanternas de papel requintadamente amassado; naquele modo de vida que desaparecera, ela sentia que poderia ter se perdido. Sentaram-se no bar. Acima da cabeça deles, saindo de uma cesta suspensa, lírios-d'água espalhavam-se como fogos-fátuos.

— *Iris japonica* — ela disse olhando as flores. E depois: — É bonito aqui.

— Cerveja? — ele perguntou.

— E saquê.

As cervejas chegaram, geladas, deliciosas. Um cozinheiro foi para detrás do balcão e começou a juntar num prato estreito, repleto de fissuras, uma cadeia de montanhas construída com legumes desconhecidos, filamentos dourados, bulbos com ares de cebolinha, todos arrumados da mesma forma em pequenos montículos.

— Rabanete branco, cebolas, raízes, gengibre, brotos locais — disse Paul quando o cozinheiro depositava sua escultura na frente deles e uma garçonete trazia tigelas cheias de um caldo fumegante, um prato de macarrão grosso para cada um e um pequeno recipiente com sésamo grelhado e uma colher de madeira.

Ele apontou para a sua tigela.

— Ponha aí três colheres de sésamo, alguns legumes, os udons, coma e recomece.

Chegou o saquê, frio e delicioso, Rose jogou os grãos de sésamo dentro do caldo, percebeu o estremecer deles, sentiu-se revigorada. Com precaução, acrescentou filamentos de gengibre, rabanete, brotos diversos. Tentou transvasar os fios de macarrão, recuperou-os, desajeitada, em cima da madeira do balcão, acabou pegando um com os dedos, batalhou ainda mais, parou, o fôlego curto.

— É para esgotar o cliente antes que ele comece? — perguntou.

Olhou ao redor, viu que os comensais inclinavam a cabeça até a tigela e aspiravam ruidosamente os fios de macarrão. Jogou-se na água, iniciou com um que escorregou como uma enguia entre os pauzinhos e caiu de novo, sujando sua blusa.

— Estou vendo — disse —, é um trote.

Ele sorriu. Ela trapaceou com os fios seguintes, fazendo-os

escorregar de uma tigela para a outra, usando os pauzinhos lateralmente como uma pinça.

— Cruzei com a inglesa do Pavilhão de Prata na cidade — disse. — Ela conhecia Haru.

Ele levantou uma sobrancelha, interessado.

— Uma senhora de idade, muito distinta?

— É, falando francês perfeitamente.

— Beth Scott — ele disse. — Uma velha amiga. Ela soube da sua existência no funeral, como a metade da cidade.

Rose descansou os pauzinhos.

— Ninguém sabia?

— Quase ninguém.

— Quem estava informado?

— Sayoko e eu.

— Quem mais?

— Mais ninguém.

— Nem mesmo sua mulher?

— Minha mulher morreu — ele disse.

Houve um silêncio. Ela quis dizer *sinto muito*, mas não conseguiu.

— Era japonesa? — perguntou.

— Era belga, como eu.

Ele descansou os pauzinhos, deu um gole na cerveja.

— Quando ela morreu? — perguntou Rose.

— Há oito anos.

Ela pensou: A filha dele é órfã. No silêncio entrecortado por goles de cerveja, em algum ponto de um lugar tênue e imenso, invisível como o céu, alguma coisa mudou de posição. Ela percebeu a vinda da chuva, um odor de terra ávida, de mato ao vento. Houve mais uma translação, um perfume de vegetação rasteira e de musgo. Ela começou a chorar com grossas lágrimas que jorravam como pérolas cintilantes. Ela as sentia se formarem, escorrerem e se fundirem no mundo, enfeitadas de luz. Odiava-se. Baixou a cabeça, continuou a soluçar. Seu nariz escorria. Paul lhe entregou um lenço. Pegou-o, soluçou mais violentamente ainda. Ele não dizia nada, terminava com calma sua cerveja. Ela lhe ficou agradecida, o fluxo secava, ela se controlou.

— Vou levá-la para tomar um drinque — disse ele levantando-se.

A escuridão do carro fez bem a Rose. As lágrimas e o saquê davam à cidade uma textura, uma pátina de espelho de mercúrio.

— O que é que foi o mais difícil? — ela perguntou.

Ele não respondeu, ela pensou ter sido indiscreta.

— Desculpe — disse —, é indiscrição.

Ele fez com a cabeça um sinal de negativa.

— Procuro as palavras certas.

Ele tinha uma voz distante, abafada.

— A ausência, primeiro — recomeçou. — Depois, o dever e a cruz de ser feliz sem Clara.

— O dever? — repetiu Rose. — Por sua filha?

— Não — disse ele —, por mim.

Perturbada, ela se calou.

— A gente não se sente mais falando a mesma língua que os outros — ele recomeçou. — E compreende-se que é a do amor.

— Eu nunca a falei — ela disse.

— Por que você acha isso?

— Não acho que se possa dar quando não se recebeu, assim como não acredito nos seus disparates sobre o dom que torna vivo. Do contrário, de que serve dar quando já se morreu?

— Você começa a compreender a natureza do sacrifício dele — ele respondeu.

— Toda essa farsa é inútil — ela declarou.

O carro parara numa viela do centro da cidade. Eles pegaram uma escada externa até o último andar de um pequeno e triste edifício de concreto, entraram numa sala com grandes janelas envidraçadas que davam para as montanhas do leste. Um bar corria por todo o comprimento da sala mas a decoração de paredes arenosas e de carvalho claro era engolida pelos faustos das montanhas, aberta para uma noite de mistérios, para o poema obscuro dos cumes. Não havia ninguém. Enquanto se sentavam, uma jovem japonesa saiu de uma porta dissimulada à direita.

— Saquê? — perguntou Paul a Rose.

Ela fez que sim com a cabeça.

— Estou com vontade de beber — disse.

— Você não é a única.

Ela lhe ficou agradecida por aquela conivência inesperada, relaxou. Depois da primeira rodada silenciosa de saquê, ele pediu outra e ela teve vontade de falar.

— Onde está a sua filha?

— Em Sadogashima, no mar do Japão, com uma amiga — ele respondeu. — Elas zanzam o dia todo, hoje me disse que tinha esquecido seu obentô na cesta da bicicleta e que um corvo o atacara, mas ela estava sobretudo indignada porque ninguém tinha preparado um obentô para o corvo.

A ternura de sua voz, as imagens, o relato do corvo foram penosos para Rose.

— Por que você estudou japonês?

— Porque Clara estudava.

Ela se sentiu subitamente sóbria, quis dizer alguma coisa para reatar com a embriaguez mas a porta se abriu e alguém entrou resmungando. Paul se virou e sorriu. O homem, um velho japonês enrugado como uma tartaruga, estava bêbado de cair. Usava uma espécie de chapéu borsalino coberto por um tweed em espinha de peixe. Uma fralda de camisa saía de sua calça, o paletó de linho conhecera a guerra. Ao avistá-los, levantou os braços para o céu em sinal de alegria e se estendeu no chão. Paul o ajudou obsequiosamente a levantar-se enquanto ele despejava uma torrente de palavras alegres e, logo em seguida, encaminhava-se para o bar.

— Keisuke Shibata, pintor, poeta, calígrafo e ceramista — disse Paul a Rose.

E bebum, ela pensou. Keisuke Shibata se inclinou e a olhou sob o nariz, soprando-lhe no rosto seu bafo de saquê. Suavemente, Paul o puxou para trás e o sentou num banquinho.

— Ele só fala japonês — disse Paul.

— Deus seja louvado — disse Rose.

Keisuke arrotou com capricho.

— A tradução não deverá ser demasiado árdua — ela observou.

— É um tagarela impenitente, infelizmente — disse Paul.

E, de fato, o japonês se pôs a falar pelos cotovelos, dirigindo-se ora a Paul ora a um ser invisível em algum lugar na sala. Rose esvaziou alguns copos. O outro papagueava descendo seu saquê, Paul respondia por monossílabos e, por instantes, ria. Enfim, a conversa esfriou enquanto o bêbado, com as duas mãos espalmadas sobre o bar, assobiava suavemente para si mesmo.

— Às vezes ele está sóbrio? — perguntou Rose.

— Às vezes.

— O que é a história dele?

— Nasceu em Hiroshima em 1945. Sua família foi dizimada pelo átomo. Em 1975, ele perdeu a mulher e a filha num terremoto. Em 1985, o filho mais velho morreu num acidente de mergulho. No dia 11 de março de 2011, o outro filho, o biólogo, estava em missão na prefeitura de Miyagi, na costa, a vinte quilômetros de Sendai. Não teve tempo para chegar a um lugar mais alto.

Ela raspou com a unha uma mancha invisível no bar. Alguma coisa, em algum lugar, ameaçava. Tomou mais saquê.

— Por ocasião do depósito das cinzas de Nobu no cemitério, chovia e Keisuke escorregou na lama, diante do túmulo. Haru o levantou e o manteve apertado contra si até o fim da cerimônia. Alguém se aproximou com um guarda-chuva mas ele o despachou. Ficaram juntos, imóveis, sob a chuva, e pouco a pouco, uns após outros, fechamos nossos guarda-chuvas. Lembro-me de ter sentido o peso e a violência da água e, depois, de tê-los esquecido. Tínhamos entrado num mundo de fantasmas. Não tínhamos mais carne.

Ele parou de falar e subitamente Rose sentiu frio nos pés. Tentou se agarrar ao céu negro, às montanhas bondosas. A ameaça rondava. Entreviu sombras, um aguaceiro, espuma na terra. Não, pensou com força — mas a chuva caía e ela estava de joelhos, não havia mais montanhas, mais homens, e naquele mundo desertado de carne, naquele abismo de guarda-chuvas fechados, ela soçobrava na lama enquanto todos os cemitérios se reencontravam, enquanto ela apenas perambulava de um a outro, enquanto ela estava fadada à queda, ao lodo, aos dilúvios.

— Olhando para Haru e Keisuke, sabendo que eu retornaria breve ao mesmo cemitério, eu pensava: Nós todos, prisioneiros dos fornos do inferno — disse Paul.

Ao lado dele, o japonês arrotou.

— Também chovia no enterro de minha avó — ela disse.

— Não me lembro da lama mas da chuva. Todos dizem que eu divago mas sei que ela era preta.

Fez uma pausa, tentou juntar seus pensamentos, desistiu da coerência.

— Mais tarde, li que, depois da explosão das bombas, uma chuva preta caíra sobre Hiroshima e sobre Nagasaki.

Tentou mais uma vez seguir um fio que desaparecia.

— Minha avó gostava dos lírios. Gostava da chuva no jardim — disse pensando: Estou completamente bêbada.

Bruscamente, surgiu diante de seus olhos internos o rosto sorridente de Paule. Ela a ouviu dizer: *É tempo de dividir os lírios*, reviu-a num vestido branco, debruçada com graça sobre as flores, repleta de silêncio e de amor.

Ao lado, Keisuke se animou.

— Ele pergunta quem é você — disse Paul.

— E quem eu sou? — perguntou Rose.

Houve uma breve conversa em japonês e Keisuke, trocista, bateu no ombro de Paul.

— Ele diz que você tem um jeito ainda mais morto que seu pai — traduziu Paul.

— Encantador — ela resmungou.

— Completamente congelada — ele esclareceu.

O outro riu, murmurou ao olhar para ela.

— Ele pensa que é um bom carma, que é preciso morrer uma primeira vez para poder realmente nascer.

— Ele encontra essas frases nos biscoitos da sorte? — ela perguntou.

Paul traduziu e o outro bateu em suas mãos.

— Ele diz que você não sabe quem é.

O japonês deu um grande tapa na mesa gritando: Ha!

— Ele diz que é normal porque você ainda não nasceu.

— E quando vou nascer, segundo o Grande Beberrão diante do Eterno? — ela perguntou.

— Não sou Buda, vire-se — traduziu Paul, enquanto o outro desabava sobre o bar, soltando ruidosamente um peido e começando a roncar, com a cabeça entre os braços.

Ela se virou para as janelas envidraçadas. Na noite estrelada, tal como gigantes adormecidos sob uma mortalha de tinta, as montanhas do leste falavam uma língua familiar. Em algum lugar dentro de Rose estremecia uma fonte mas ela sabia que ouvia e sentia porque estava bêbada que os poemas e as correntes de água clara estariam mortos no dia seguinte.

— Do que você gosta aqui? — ela perguntou.

Fez-se um silêncio e depois Paul disse:

— Da poesia e dos bêbados clarividentes.

— Isso basta para viver?

Enquanto ele se levantava sem responder, ela imaginou que ele quisera dizer: Só há o amor e, em seguida, a morte — mas que ele se contivera porque ela já estava morta. Mais tarde, durante a noite, acordou. Estava calor. Pela janela, através dos galhos imóveis das árvores, viu a lua, imensa e dourada, e lembrou-se de seu sonho. Sentada num campo de lírios selvagens uma raposa a olhava.

5.

Na época dos samurais, na ilha de Sado, no mar do Japão, vivia um eremita que, desde a manhã até a noite, olhava o horizonte. Tinha feito voto de consagrar sua vida a essa contemplação, nela se absorver por inteiro, conhecer a embriaguez de não ser mais do que uma linha entre o mar e o céu. No entanto, como sempre se postava atrás de um pinheiro que o impedia de ter uma vista sem obstáculos, perguntavam-lhe a razão e ele respondia: Porque eu não temo nada quanto conseguir.

Atrás de um pinheiro

De manhã, chovia. As montanhas do leste fumegavam brumas erguidas sobre um céu diáfano, o rio estava ensurdecido de aguaceiros. Na manhã pálida, no insondável quadro cinza atravessado de fantasmas, o céu e a água se fundiam e se consumiam num mesmo fim. Essa vacuidade crucificava Rose sem que ela conseguisse apartá-la; nos fornos do inferno, homens fechavam seus guarda-chuvas; e naquele ponto cego de sua vida, ela vagava por territórios vazios e descarnados como a morte. Nunca se abandona uma frente de batalha dessas, ela pensou, não é possível lutar contra o que não tem substância. Tinham trocado os cravos da véspera por um punhado de lírios num vaso branco-gelo A visão das flores a desviou da chuva, ela tomou banho, vestiu-se, foi à sala do bordo. Pareceu-lhe por um instante que seus galhos desenhavam uma cruz e ela viu recortados contra um céu negro os crucifixos de lugares e tempos cuja memória ela odiava. Depois a visão desapareceu e a árvore cintilou. Ela só distinguia pérolas cristalinas que ficavam ali, transparentes e trêmulas. Pouco depois, espantou-se de estar sozinha e, abruptamente, o pensamento de seu pai no cemitério a levou para fora da casa. A umidade a envolveu como um quimono apertado.

Ela voltou e descobriu Sayoko de vestido e impermeável, cabelos soltos, uma bolsa no braço.

— Breakfast soon — disse a japonesa.

Ela desapareceu. Passado um momento, um telefone tocou e, passado outro momento, ela reapareceu com a bandeja habitual.

— Paul-san meet you at temple — ela disse. — Today very busy. When Rose-san finish, drive with Kanto-san.

É o exército, pensou Rose com humor. O peixe do dia lhe criou dificuldade e o chá a exasperou. Levantou-se, foi à porta por onde Sayoko havia desaparecido, e a abriu.

— Could I get some coffee? — pediu.

Na sala das paredes arenosas, via-se no alto da lareira, simples buraco quadrado de onde subia o calor de brasas compactas sobre a cinza, uma chaleira de ferro, pendurada no teto por uma corrente que escorregava por um longo bambu. Um tripé passava por cima da parte central do fogo. Tudo isso estava encastrado no meio de um local sobrelevado com tatames. Em volta, ao longo das paredes, corriam prateleiras de louça. Mais adiante, havia uma pia debaixo da janela, um fogão a gás, bancadas de trabalho feitas de pedra, armários com portas de madeira clara. Finalmente, na parede, uma grande caligrafia a nanquim inundava o espaço com seus respingos de cometa. A chaleira emitia uns chiados, a sala falava de sensações fugidias, de um algures familiar em que Rose se perdia; com seu vestido de algodão bege, os cabelos presos por uma fita, Sayoko parecia mais jovem, um pouco vulnerável, e Rose se perguntou qual era a sua história, se ela era casada, desde quando servia a seu pai.

— I prepare coffee — disse a japonesa.

Rose fez um sinal de agradecimento, quis fechar de novo a porta.

— Monsoon is here — acrescentou Sayoko. — I give you an umbrella later.

Era só o que faltava, a monção, pensou Rose. Depois, num impulso, disse:

— You take care of people.

Sayoko sorriu. Em seu rosto claro e liso cresceu uma flor. Apavorada, Rose bateu em retirada. Estou saindo dos trilhos, pensou, mas não podia escapar à visão da corola se exibindo. Apoiou a testa no vidro frio; a chuva caía, o bordo pingava em cima do musgo; pelo sorriso de Sayoko, ela ia à deriva para outro lugar que lhe murmurava que ela estava em sua própria casa.

Ignorou o resto do café da manhã, evitou o olhar de Sayoko, bebeu o café. Na porta do jardim, a japonesa lhe trouxe um guarda-chuva transparente. Rose o abriu e gostou de olhar o mundo através dos pingos de água. No carro, pareceu-lhe que a corrida durava muito tempo, para o oeste e em seguida para o norte, até um vasto estacionamento diante de um espaço fechado, perfurado por um grande portão de madeira. Paul-san coming soon, disse o motorista, Rose-san waiting inside or outside? Outside, ela disse. O som dos pingos batendo no guarda-chuva lhe fez bem, ela sonhou um instante em viver num pingo cheio e fechado, sem alhures nem antigamente, sem perspectivas nem desejo. Foi até o portão; do outro lado, uma alameda de pedra serpenteava entre muros de templos; voltou atrás. Depois de alguns minutos, um táxi parou ao lado dela e Paul desceu, com um guarda-chuva transparente na mão.

— Desculpe — disse —, eu tinha uma venda importante pela manhã.

Abriu o guarda-chuva, uma folha perdida se pousou.

— Passeou um pouco?

— Não — ela disse. — Onde estamos?

— No Daitoku-ji — ele respondeu —, um complexo de templos do zen-budismo.

— O que é uma venda importante? — ela perguntou enquanto pegavam a alameda até a curva que se formava à direita. — Muito dinheiro?

— Um cliente para muito tempo — ele disse.

— Você vendeu o quê?

— Um biombo. Um grande biombo feito por um dos maiores artistas vivos do Japão.

— Quanto custa isso?

— Vinte milhões de ienes.

— Vejo que não tem preocupações com problemas de caixa.

— É mais de você que se trata — ele disse.

Ela parou no meio da alameda.

— Não quero dinheiro.

Então, foi ele quem parou.

— Você não tem a menor ideia do que quer.

Ela não detectou nem julgamento nem crítica em sua voz, e quis responder, fez um gesto que significava: Chega! Retomaram o caminho.

— Por que você manca? — ela perguntou.

— Acidente de montanha.

A chuva parara. Ela tomara consciência do silêncio que reinava, um silêncio *horizontal*, puro e incompreensível — isso não tem sentido, pensou. No entanto, aquele silêncio pairava sobre as alamedas, ela sentia que o rachava na altura dos quadris, que ele formava um lençol de ondas invisíveis entre pedra e ar. De um lado e outro da passagem havia muros, telhados cinzentos, jardins que eram avistados pelos pórticos de madeira. Tentou manter no espírito que ela não passava de uma marionete transportada pela vontade de um morto mas o silêncio do local escorria sobre ela, a extraviava em pensamentos inéditos. Pararam diante da entrada de um templo. À direita, numa tabuleta de madeira, ela leu *Kōtō-in*. Em frente, ao longo de um caminhozinho pavimentado, balaustradas de bambu e pinheiros precediam muros ocre; no fundo, à esquerda, arqueava-se um grande pórtico encimado de telhas cinza; daquilo que evidentemente era apenas uma antecâmara nascia um sentimento de fronteira, uma fragrância de outro mundo.

Rose pegou o caminho.

A música dos pinheiros a envolveu como uma liturgia, afogou-a nos galhos cheios de garras, nas torções em pontas de agulhas flexíveis; pairava uma atmosfera de cântico, o mundo se aguçava, ela perdia a noção do tempo. A chuva recomeçou, fina e regular, ela abriu o guarda-chuva transparente — em algum lugar na beira de sua visão algo se agitou. Passaram pelo pórtico, houve outra curva à direita e depois, diante deles, uma alameda. Longa, estreita, bordejada de arbustos de camélias e de rampas de bambus por cima de um musgo argênteo, delimitado, atrás, por altos bambus cinzentos, e tendo acima um arco de bordos, a alameda levava a um pórtico de teto de colmo e de musgo em que tinham plantado lírios e onde se enlanguescia o rendilhado das folhagens. Era, na verdade, mais que uma alameda; uma viagem, pensou Rose; um caminho para o fim ou para o começo. Pegaram a passagem e, como no primeiro dia, ela foi percorrida por um antigo sofrimento que centelhas de alegria arrancadas do nada vinham banhar. Depois de duas outras curvas, chegaram à entrada do templo. Passando pelos corredores até uma galeria no alto de um grande perímetro de musgo, Rose se sentiu em casa. Ali havia outros bambus, outros bordos, uma lanterna de pedra, mas sobretudo um jeito de liberdade, um arranjo elástico em que colmos e árvores pareciam brincar ao vento. Ela respirava com leveza, invadida por uma sensação de *possibilidade*, arrastada para uma linha de fuga deliciosa — mais livre, imperfeita e viva. Trouxeram-lhe uma tigela de chá verde espumante que ela observou com reticência.

— Chá matcha — disse Paul olhando para ela.

Depois, como ela hesitasse:

— Vá em frente, a vida é feita para experimentar.

A contragosto, levou a tigela aos lábios. No gosto de verdura, no ataque de folhas e erva, de lentilhas-d'água e agrião, ela leu a terra de arroz e de montanhas para onde fora levada — uma terra em que, de cada coisa, retiravam-se o açúcar e o sal para guardar apenas um sabor sem arestas, um sabor de nada, um concentrado liso e pálido de floresta anterior aos homens. Gosto de nada, gosto de tudo, pensou. Este país me mata.

— Este país me mata — ela disse.

Ele riu sem que ela soubesse se era de assentimento ou de zombaria. Tentou delimitar a sensação para a qual se sentia derivar.

— Há alguma coisa da infância — acrescentou.

— Isso lhe desagrada? — ele perguntou.

— Não vejo o que há de bom na infância.

— Mas a gente não pode arrancá-la de si.

— É o seu eterno argumento, portanto o jeito é se conformar? — ela perguntou.

— Não é resignação. Tento somente entender o que é derrota e o que é sabedoria.

— Derrota? — ela perguntou. — Nesse caso, onde está a vitória?

Ele olhou ao redor.

— A vida é transformação. Estes jardins são a melancolia transformada em alegria, a dor transmudada em prazer. O que você vê aqui é o inferno feito beleza.

— Ninguém vive num jardim zen — ela retrucou.

* * *

Saíram do templo pela alameda das maravilhas e se encontraram de novo na antecâmara dos pinheiros. Ela se lembrou dos jardins do Pavilhão de Prata talhados com precisão e com o fio da espada; daqueles, que acabavam de visitar, flexíveis e indolentes, do Kōtō-in — depois se lembrou de ter, da mesma maneira, percorrido os primeiros como em terra da infância e compreendeu que cada pessoa trazia em si sua parte de inocência e de lâmina, que ali se andava em conformidade com o teto do inferno admirando as árvores, que esse equilíbrio entre a candura da felicidade e a crueldade do desejo era a própria vida. Ficou um instante olhando os pinheiros. Começou a chover mais forte, abriram seus guarda-chuvas.

Mais tarde, o motorista os deixou na entrada da ponte que ela pegara na véspera. Já não chovia, Paul encostou no parapeito por um instante, diante das montanhas do norte. Azul-marinho contra o cinza profundo do céu, elas lançavam para a abóbada invisível grandes salvas de vapor. Atrás deles passava uma multidão — jovens passeando, turistas, homens e mulheres comuns concentrados numa existência que Rose achava inacessível e cruel. Uma maiko os ultrapassou, com o olhar sério, o ar grave.

— A ponte de Sanjo sempre tritura meu coração — disse Paul seguindo-a com os olhos.

Rose observou a nuca branca da mulher, imaginou uma vida de segredos, de lágrimas à noite.

— Não é meu mas de Keisuke — ele disse também.

a ponte de Sanjo sempre tritura meu coração
como grão de arroz macio e o transforma
em farinha na nuca das maikos

Ela o seguiu até a mesma galeria comercial onde entrara mas, dessa vez, pegaram à esquerda até um restaurante de longo balcão de madeira dourada. Paul cumprimentou a garçonete e continuou até uma sala nos fundos ocupada por uma única mesa grande. A luz os envolvia com um sopro sedoso, Rose a via e o sentia com o mesmo roçar nos olhos e na pele. Durante o almoço orquestrado por uma sucessão de pratinhos preciosos e estranhos, ficaram calados. No fim, Paul pediu cafés e ela teve vontade de falar.

— O chá de hoje pela manhã praticamente não tinha gosto, mas tinha o gosto de tudo — começou.

— É uma boa definição do Japão — ele disse.

Ela prosseguiu com sua ideia.

— Minha avó dizia que tudo esmagava minha mãe, que ela via a vida como um só bloco de granito, uma só massa acachapante.

— Há uma propriedade do domínio imperial, no oeste da cidade, que se chama vila Katsura.

Ele se calou.

— E? — ela disse.

Ele não respondeu. Refletia.

— Na entrada, a perspectiva que dá para o jardim e os lagos é escondida por um pinheiro de tal modo que não se possa abarcá-la com um só olhar — retomou. — A vida talvez não seja mais que um quadro que se contempla atrás de uma árvore. Ela se oferece a nós em sua totalidade mas só a percebemos através de perspectivas sucessivas. A depressão nos torna cegos para as perspectivas. O conjunto da vida nos esmaga.

Ela varreu do espírito as imagens que se insinuavam, concentrou-se nas árvores do Kōtō-in, no escrínio de musgo e folhagem em que uma lanterna jogara a âncora, perdeu-se nos galhos, atenta à caligrafia deles, a seu texto mudo. Eles são prisioneiros

74

da terra, pensou, e no entanto são a possibilidade da vida, talhados para expressar as raízes e a decolagem, o peso e a leveza, a força de agir apesar das prisões. Depois, seu humor irritadiço se refez.

— A vida sempre acaba nos esmagando — disse. — De que adianta tentar, já que estamos na prisão?

— O que arriscamos? — ele perguntou. — Pelo simples fato de viver, todos os riscos já foram corridos.

Novamente sozinha na casa de seu pai, ela perambulou, desocupada, entre seu quarto e a sala do bordo. As portas ao longo do corredor a interpelavam mas quando ela esticava a mão para uma delas, um sentimento sacrílego a constringia. A lembrança do olhar grave da maiko a fez sentar-se diante da árvore em sua gaiola envidraçada. Seus pensamentos se extraviavam, o tempo passava numa imobilidade gelada. Tenho medo, pensou de repente, e uma imagem surgiu do nada. Quando?, perguntou-se ao rever a corola fresca pousada ao lado de um mapa botânico de contornos vagos. As pétalas do espinheiro vibravam suavemente, ela se via escrevendo algumas notas; o cenário se escondia; em algum lugar dentro dela palpitava a flor. *Eu estudava, eu aprendia a profissão.* Tentou rememorar o momento, e depois a inutilidade da tentativa, e de todas as tentativas, a impressionou. Então a imagem deu lugar a outra e atrás da tela rasgada da lembrança ela recebeu o rosto sorridente de sua mãe. No tremido de sua memória ela lhe pareceu mais real e mais verdadeira do que outrora, e a ironia dessa encarnação lhe arrancou um riso seco. Quantos sorrisos em trinta e cinco anos?, pensou com amargura, e tudo voltou de repente — a cozinha de Paule, a flor e o mapa em cima da mesa, Maud em pé diante dela, luminosa, desertada de sombra, que lhe sorria e lhe perguntava: É um espinheiro? Que idade eu tinha?, pensou Rose. Vinte anos? Cem, com certeza. E também: Do que é mais difícil fazer luto? Do que perdemos ou do que nunca tivemos? Depois, subitamente, lembrou-se do pinheiro da vila Katsura que impedia que se avistasse o conjunto da vida e pensou também: Eu não tenho medo de fracassar, eu tenho medo de conseguir.

6.

Existe em Kyōto um templo popular desprovido da beleza das grandes joias da cidade mas que é apreciado por seu canteiro de duas mil ameixeiras onde toda a cidade vai passear nos últimos dias de fevereiro. Mesmo assim, Issa, o poeta magnífico, só ia lá quando os bosques das árvores ainda estavam negros e nus, sem as flores que, mais tarde, perfumariam o ambiente. Desde o aparecimento da primeira corola, ele saía do canteiro enquanto seus pares vinham admirar o milagre das pétalas jogadas sobre os galhos hibernais. Quando, às vezes, algúém se inquietava com esse gosto que o privava da mais bela floração do ano, ele ria e dizia: Esperei muito tempo na escassez, agora a flor da ameixeira está em mim.

A flor da ameixeira está em mim

Maud, mãe de Rose, crescera na melancolia e, apesar do que depois fez de sua vida, se comportara com uma perseverança admirável. O tempo lavava com chuva a vida, fazia surgir o sol, a lua brilhava e Maud permanecia na escuridão. De resto, habitava sua tristeza como uma raposa habita sua toca; quando saía para os bosques, era para retornar, imutável, ao refúgio; por mais que Paule, sua mãe, tentasse alguma saída, ela encalhava batendo nas escarpas de pedra dura. Depois de certo tempo, cansada de lutar e com o coração partido, Paule desistiu. Os anos se passavam, afogados em monotonia, Maud trabalhava, viajava, voltava, inalterável em seu castelo triste. Assim, quando ela voltou de Kyōto portando a criança de um homem logo abandonado, Paule ficou arrasada. Quis que Maud prometesse que o bebê conheceria o pai mas esbarrou numa fúria inédita, único desrespeito jamais empreendido por sua filha ao mar parado de sua melancolia.

Rose nasceu e deveu seu nome a Paule, que amava as flores e queria que sua neta as frequentasse. Logo Maud parou de trabalhar e passou os dias na sala, diante da vidraça, sem olhar os lilases. De vez em quando chorava mas nisso punha, como em qualquer coisa, pouca convicção — então Paule levava Rose ao jardim sem imaginar que pudesse realmente protegê-la. Durante dez anos, porém, ela prendeu a respiração e quis acreditar no milagre; de fato, Rose era uma criança encantadora que lia, explorava e ria o dia inteiro; depois, uma noite, no final de uma década a não ouvi-las, as lágrimas de sua mãe a fizeram, por sua vez, desabar. Paule enviou a um certo Haru Ueno, cujo nome e endereço figuravam numa carta dirigida a Maud, a última foto que tinha de Rose antes do desabamento. Ela assinou simplesmente *Paule*, no verso, nunca soube se o envelope lhe havia chegado, se ele ficara tentado a responder desafiando a proibição, e por muito tempo ficou obcecada com isso.

Em sua carta a Maud, Haru Ueno escrevia apenas: *Respeitarei seu desejo, não tentarei ver minha filha, não fique sofrendo.* Um dia, quando Rose festejava seus vinte anos, Paule compreendeu que ela a lera. Quando?, perguntou-se, mas conhecia a resposta. Você se calou por dez anos?, acrescentou. Rose assentiu com a cabeça e elas não voltaram a falar nisso durante outra década e meia. Naquele ano, numa noite de junho, Maud foi até o rio, com os bolsos cheios de pedras, e se afogou num silêncio magnífico depois de ter admirado as árvores no espelho da água calma.

— Tudo isso para isso — disse Rose com raiva.

— Agora, você pode encontrar seu pai — murmurou Paule.

— Eu poderia ter encontrado antes — respondeu Rose —, a carta não era para mim.

Depois o silêncio voltou a ensurdecer a vida delas. Dois anos mais tarde, Paule também morreu. Na mesma noite, Rose fez amor com seu amante do momento numa indiferença tão cruel que não o sentiu retirando-se dela, não o ouviu sair do quarto, não se lembrou, no dia seguinte, de tê-lo acolhido em seus lençóis, em seu corpo, em sua vida agora exangue. Transcorreram alguns meses em que ela não mais se conhecia. Uma forma de apaziguamento nascia da derrota e ela parou de querer ser feliz; o desejo de sê-lo já era tão tênue, e durava já fazia tanto tempo, que cedeu com indolência. Três anos se passaram à deriva nessa letargia disforme. Finalmente, ela pegou um avião para Kyōto.

Acordou com uma sensação de desgraça e de chuva. O barulho da água tornava o mundo evanescente, longínquo. Foi à sala do bordo, descobriu-o banhado numa estranha claridade. Dessa escuridão cintilante de aguaceiro jorrou um fragmento de alegria.

Sayoko saiu da cozinha.

— Paul-san coming — disse. — Rose-san want tea?

— Coffee, please — ela respondeu.

Gostaria de retê-la, perguntar-lhe quem ela era, por que falava inglês. A japonesa sentiu sua hesitação, ficou ali um instante e depois, como Rose não dizia nada, foi-se embora. Voltou com uma xícara vermelha de modelagem irregular, de uma delicadeza de papoula, e olhou para Rose enquanto ela bebia.

— Rose-san beautiful — disse.

Surpresa, Rose descansou a xícara. Os japoneses sempre acham que os ocidentais são bonitos, pensou.

— Japanese people always find Western people beautiful — ela disse em voz alta.

Sayoko riu.

— Not always. Too fat.

Ouviu-se correr a porta do vestíbulo.

— I remember your mother — disse Sayoko. — Very sad.

Finalmente, enquanto Paul entrava na sala, ela se eclipsou.

— Aonde vamos desta vez? — perguntou Rose.

— A Shinnyo-dō.

— Surpreenda-me: é um templo budista?

— Um templo budista.

No carro, teve a sensação de que sua vida desposava as linhas de fuga das ruas cinzentas.

— Vai chover muito tempo? — perguntou.

— Um pouco mas você vai sentir saudade do frescor da monção quando chegar o calor do verão.

— O clima aqui não é nada engraçado.

— A gente se habitua — ele disse.

— O Japão, esse país onde se sofre muito sem prestar atenção — ela se lembrou.

Ele pareceu surpreso.

— Foi a sua amiga Beth Scott que me disse isso no primeiro dia.

— Beth tem uma visão romântica do Japão — disse Paul —, ela faz parte dessa gente que vive num jardim zen.

O carro parou diante de uma alameda de pedra que levava a um pórtico vermelho e depois subia até um templo e um pagode de madeira escura. Não chovia mais, eles não apanharam o guarda-chuva e saíram do carro em meio a um perfume de terra úmida e de flores desconhecidas. Rose pousou o pé na alameda e se virou, pressentindo uma presença. Não havia ninguém. Mais longe, o grande pátio do templo estava deserto mas a sensação se amplificava. *Não estamos sós aqui.* Por causa desses seres invisíveis e mudos de quem ela nada sabia, cuja presença envolvia o mundo com uma brilhância nova, sua sensação era a de se extraviar na espessura do tempo. Olhou os bordos ao redor de si, o pagode de madeira; olhou o grande templo escuro encarapitado naquela colina solitária, sem turistas, sem visitantes. De onde vinha a ideia de que eles estavam com alguma companhia, de que espíritos os cercavam, os arrastavam para esconderijos secretos? Ao mesmo tempo ela percebia alguma coisa de *travesso*; nada fazia sentido, tudo estava saturado de sentido; o que é isto aqui?, ela se perguntou.

— O que é isto aqui? — disse em voz alta.

— Um templo onde Haru vinha passear toda semana.

— Está povoado — ela disse, consciente de contar uma bobagem.

— É um lugar de espírito.

Sua própria exasperação a surpreendeu.

— Você não está farto de ser tão afetado, tão sentencioso? — ela perguntou.

Pela primeira vez desde o início, ele pareceu irritado.

— Você não me deixa espaço para outra coisa — disse.

— Você é o lacaio de um morto, é isso que o torna tão insípido e contido — ela continuou.

— Sou o executor testamentário de um homem que eu admirava e, a seu pedido, passeio com sua filha chata de templo em templo. É isso que você quer? Que eu entre no seu joguinho depressivo-agressivo?

E, largando-a ali, foi-se embora, contornando o templo à direita e desaparecendo de sua visão. Ela ficou imóvel um instante, furiosa por ter sido tão estúpida, por tê-lo magoado, aliviada também por, pensando bem, ele ser tão banal. Grande sábio porcaria nenhuma!, disse em voz alta, e riu. Saber que ela se desculparia lhe fazia bem. A travessura dos espíritos do lugar a encantava. Vocês são o quê?, ela disse também, em voz alta. Uns kamis? Uns fantasmas? Seguiu pela alameda que Paul pegara, viu-se atrás do templo sob um arco de bordos incuravelmente graciosos, pegou à direita passando por grandes muros. Diante dela, ao longe, avistou túmulos — um cemitério, pensou, estava faltando isso. Prendeu a respiração ao andar entre as sepulturas, as lanternas e os bambus celestes. Havia pedras em forma de personagens sem rosto e de longas hastes de madeira que estalavam ao vento; ornadas de letras bem apertadas, elas cercavam os túmulos, simples pedestais de mármore tendo ao alto uma lápide mais estreita; algumas estavam comidas pelos anos, invadidas de líquen. De cada lado, em vasos estreitos do mesmo mármore, tinham colocado flores da estação. Por toda parte o musgo ondulava com reflexos macios e azulados, por toda parte os chapéus de bicos das lanternas jogavam na atmosfera uma nota maliciosa. No silêncio dos mortos, a vida se esticava e tudo aquilo crepitava. Grandes árvores persistentes farfalhavam ao vento, alguma coisa diferente, também, farfalhava numa cintilação de magia desconhecida, na feitura dos túmulos, dos templos, das hastes cacarejantes, dos gritos de corvos. Eles rodopiavam lentamente acima dos telhados, Rose gostava do apelo dissonante dos corvos — à beira da ruptura, ela pensou, e no entanto, que calma! Depois: Que lugar! Continuou seu caminho e descobriu que estava nas alturas de uma colina. À direita, em seu vale, a cidade se espalhava. No final da passagem, sentado no primeiro degrau de uma grande escada que descia para outros túmulos e outros templos, contemplando Kyōto, Paul a esperava. Ela se sentou ao lado dele.

— Sinto muito — ela disse.

— Você não sente, não — ele retrucou. — Você é uma chata profissional.

Ele riu.

— Está tudo muito bem assim, estou cansado de ser compreensivo.

Do outro lado da cidade, um pouco apagadas no crepúsculo nascente, as montanhas do oeste cintilavam ligeiramente. Das nuvens caía uma luz escura, elétrica; passados pelo verniz do temporal, os telhados dos templos luziam com reflexos furta-cor. No fim do dia, a feiura da cidade moderna já não chocava Rose. Ali não se viam arranha-céus, os relevos de concreto apagavam-se num conjunto um pouco triste. Paul se levantou e ela desceu os degraus atrás dele. O vento amainara, estava fresco e úmido, ela se sentia descer ao longo de uma galeria de espíritos, de anos desaparecidos sem memória. Quase embaixo, pegaram à esquerda, numa alameda curta que terminava nos fundos de um templo. Ali, Paul parou diante de um túmulo.

— Estamos em Kurodani — disse —, onde estão as cinzas de Clara, de Nobu, o filho de Keisuke, e de Haru.

Ela observou o túmulo do pai.

— Devo supostamente sentir o quê? — perguntou.

— Não tenho a menor ideia — ele respondeu.

Ela olhou para o alto da escada.

— Este lugar é extraordinário mas não sei por quê — disse.

Alguma coisa nela vibrava como uma libélula. As presenças inefáveis, os bambus celestes, a alegria das pedras realizavam um ofício singular e ela sentiu um instante de vertigem. Uma borrasca perdida na calma da noite a fez levar um susto, ela se arrepiou. O túmulo não lhe dizia nada mas lhe lançava iscas invisíveis e, embora isso tivesse acontecido sem espalhafato, ela discernia a mutação sob a platitude do instante — nada de espetacular, pensou, a não ser que estejam me nascendo brânquias. Subitamente, ajoelhou-se e tocou com a mão espalmada a terra úmida na frente da sepultura. A *matéria*. Aqui jaz meu pai, pensou. Levantou-se. Tudo era idêntico, tudo tinha *mudado*. Sentia-se vazia, exausta. Olhou para Paul. Ele chorava.

Um curto temporal passou enquanto eles partiam e desciam por uma rua silenciosa até Kanto, que os esperava defronte do carro. O sentido da terra inebriava Rose, o espaço dilatara-se, o ar exalava um perfume de violeta. Paul se calava mas havia entre eles uma intimidade nova — é melhor que o sexo, ela pensou. No carro, ela pegou rapidamente na sua mão. Ele a apertou sem olhar para ela.

No restaurante, uma espécie de bar onde se bebia beliscando uns espetinhos fritos, ficaram um instante em silêncio. O claro--escuro do local criava nos objetos e nos rostos irisações quentes, que se moviam levemente. Numa alcova iluminada, grãos luminosos dançavam num arranjo de galhos nus. O saquê prolongava a intimidade deles e Rose se sentia aérea, inebriada sem excesso.

— Não há flores — ela observou apontando o vaso na alcova.

— Ramos de ameixeira — ele disse. — Os japoneses ainda as preferem às cerejeiras.

— No entanto, não é a estação.

— Talvez seja uma homenagem a Issa. Ele só ia sob as ameixeiras antes da floração e quando lhe perguntavam por quê, respondia: A flor está em mim.

Ela deu um gole no saquê gelado, quase branco.

— O cemitério não estava previsto hoje — disse.

Ele descansou o copo, olhou para ela, pensativo.

— Não era um pedido de Haru — ela disse também.

— Não costumo ir a Kurodani — ele acabou dizendo, um

pouco depois. — Quando vou, não penso em meus mortos, penso em seus funerais.

Meus mortos, ela repetiu. Será que tenho mortos que possa chamar de meus?

— O mais duro, na verdade, não é ser feliz sem o outro — ele continuou —, é mudar, não ser mais aquele que éramos com o outro.

— Você tem a impressão de trair sua mulher? — perguntou Rose.

— Tenho a impressão de trair a mim mesmo — ele respondeu.

Saíram do restaurante durante uma rápida estiagem. Na esfera aberta nas nuvens brilhava uma lua imensa, um pouco avermelhada.

— Não estamos longe de casa — ele disse. — Quer ir andando?

Despachou Kanto, andaram ao longo do rio, das margens iluminadas pela lua, roçaram as plantas que faziam flexões de bailarinas. Algumas pessoas caminhavam, o rosto embranquecido pelo astro, estava um pouco frio, Paul lhe deu seu casaco. Ele estava perdido em seus pensamentos, ela andava numa grande exaltação. O cemitério lhe falava, o túmulo de seu pai a chamava, ela sentia em si, sem que lhe fosse um peso, o trabalho da morte; ora, esse trabalho tomava a forma de uma ronda para a qual se convidavam espíritos alegres, silhuetas indecisas e familiares; a lembrança do tempo deserto cobria-se de uma película prateada, que, depois de tudo, dava às presenças invisíveis sua verdadeira forma. Demônios, ela murmurou, ó alegres demônios, vinde a mim como outrora — e sorriu diante dessa brusca reminiscência das fábulas de antigamente. Chegaram à casa e Paul se despediu em frente à porta corrediça. Ela gostaria de retê-lo, ele deu um passo atrás, lhe sorriu. A lua desaparecia detrás de uma nuvem, ela não o viu mais, ouviu-o fechar o portão e se afastar com seu passo calmo e quebrado.

Durante a noite, sonhou que passeava com seu pai num campo de ameixeiras perto de um templo de madeira escura. Atrás deles andavam os demônios de seus contos de infância. Diante de uma flor de beleza extrema, com pétalas que pareciam faíscas de diamante, estames como traços de tinta clara, Haru lhe estendia a mão dizendo: Você vai assumir o risco do sofrimento, do dom, do desconhecido, do amor, do fracasso e da metamorfose. Então, assim como a flor da ameixeira está em mim, minha vida inteira passará para você.

Olhando as flores

7.

No tempo dos grandes xóguns, no fim das eras medievais, houve um inverno tão duro que os rios do arquipélago gelaram e os animais já não puderam beber nos riachos. Numa manhã de fevereiro, saindo de casa, um garotinho avistou uma doninha. Estás com sede?, perguntou depois de se olharem com ternura. A doninha inclinou o focinho e a criança a levou para perto de um bosque de violetas onde o gelo se quebrara durante a noite. Lá, ele lhe disse: Bebe nas flores, e a doninha lambeu com avidez os minúsculos caules malva. Que sabemos hoje desse menininho? Pouca coisa, na verdade — mas mesmo assim sabemos que se tornou um dos fundadores da cerimônia do chá e que compôs um dia um poema que falava de violetas no gelo.

Violetas no gelo

Rose acordou e olhou pela janela. Grandes brumas banhavam as vertentes, elevavam-se por respirações sucessivas para um céu transparente. A chuva parara, uma fragrância de terra pesada subia do rio. Paul, ela pensou, e depois: Tudo me escapa.

Na sala do bordo, Sayoko lhe serviu o café da manhã vestida num quimono preto estampado de flores de glicínia.

— Paul-san in Tōkyō today — disse. — Rose-san go to temple with Kanto-san.

— In Tōkyō? — ela perguntou. — It was planned?

— Very important client — disse a japonesa.

— When is he back?

— Day after tomorrow.

Abandonada na beira da estrada, pensou Rose. Lá fora, o coaxar de um corvo a exasperou, ela se levantou impaciente, foi ao quarto, voltou com o cartão de Beth Scott.

— Can you call her? — perguntou.

O cristal dos fins de frase de Sayoko aumentou sua frustração, ela pegou o telefone com brusquidão.

— Você está livre hoje? — perguntou à inglesa.

— Hoje à tarde — respondeu Beth. — Vou dizer a Sayoko onde vamos nos encontrar.

Sayoko pegou de novo o telefone, escutou, desligou, fez um imperceptível muxoxo de desaprovação. Não gosta dela, pensou Rose com satisfação malsã.

— I won't go to the temple — disse.

— Yes, you go — disse a japonesa com placidez.

Rose teve vontade de responder *go to hell*, desistiu, saiu, atravessou o jardim cujas azaleias decompostas pela chuva lhe pareceram miseráveis, bateu a porta do carro. Durante o trajeto para as montanhas do leste ela só olhou para as próprias mãos. Quando Kanto parou e lhe disse: This is Nanzen-ji, ela saiu batendo de novo a porta, deu uns passos raivosos, tropeçou. Atrás dela Kanto disse ainda: Temple there. Ela se virou e viu que ele indicava o final de uma alameda arborizada.

Era uma área extraordinária — por toda parte, templos, árvores, musgo, grandes pórticos de asas curvas. Ela caminhou até um imenso portão com dois níveis de telhado, um andar com divisórias de papel e um chapéu de telhas cinza. Por ele viam-se os galhos dos bordos e, ao longe, na frente de um templo, um grande incensório de onde subiam volutas pálidas. Ventava, ouviam-se estalos de bambus invisíveis, o ar cheirava a chuva. Ela subiu os degraus que levavam ao portão perfurado por duas grandes aberturas retangulares apoiadas em gigantescas pilastras. Passou para o outro lado, teve a sensação de transpor uma tela invisível, pegou a alameda até a bacia de bronze. O incenso tornava o mundo espesso; atravessando os perfumes, ela se sentiu marcada pelo sinete de cada um deles. À direita, pegou a alameda principal e a seguiu até a entrada do Nanzen-ji. Atrás dela, Kanto se materializou, pagou a entrada, lhe entregou um pedaço de papel e foi embora. A brancura dos muros externos a surpreendeu, assim como a penumbra das galerias de madeira. Depois desse prólogo escuro, ao entrar de novo na luz alguma coisa apertou-lhe a garganta. *Vejo pela primeira vez.* Sentou-se no chão, a contemplar o retângulo de areia e vegetação. Ao redor de tudo corriam as galerias internas e depois paredes tendo ao alto telhas cinza. Na frente, no sentido do comprimento, haviam passado o ancinho numa areia cinza formando linhas paralelas retas e curvas. Ao fundo, precedendo o muro externo, tocava-se uma partitura de quatro árvores acariciadas por uma maré de musgo, de pedras antigas e de alguns arbustos de azaleias. Era o jardim mais sóbrio, mais estranhamente *ultrapassado* que ela jamais tinha visto, sobrevivente de uma travessia de eras geológicas; no entanto, tudo ali era vivo — o movimento imóvel, ela pensou, límpido e vibrante, a presença absoluta das coisas, a lição última do mundo. Quantos séculos para chegar àquele presente total? Levantou a cabeça e viu a sobreposição da areia, do musgo, das árvores, dos muros, das telhas; mais longe, as árvores agarradas à colina, dispostas como esculturas, lançadas, enfim, na tinta do céu; viu o espírito vivo da arquitetura, sua natureza cambiante e perfeita — perfeita, ela disse em voz alta. Pensou em Paul e sentiu um aperto no coração. Um pouco depois, foi caminhar pelas outras galerias, encontrou os jardins anexos insignificantes, voltou ao primeiro quadro, perdeu-se de novo. Partiu em meio a um dilaceramento delicado. Voltarei, disse também em voz alta.

Encontrou Kanto no pequeno estacionamento; sentia-se nova, mineral. Ele fechou a porta do carro, apontou a rua mais embaixo, disse: Going to eat now. Eat what?, ela perguntou. Tofu, ele respondeu. Ela o seguiu ao longo dos pequenos templos precedidos de minúsculos jardins de árvores caligráficas. Um pouco mais longe, à esquerda, passaram sob um pórtico, pegaram uma alameda tendo de um lado bordos e musgo, de outro, uma grande sala com tatames que se via por vidraças um pouco embaçadas. Fizeram-nos tirar os sapatos e os instalaram em almofadas, diante de uma mesa tendo ao alto um fogareiro. Only one menu, disse o motorista. Ela mordeu um quadrado de tofu lambuzado de molho verde, seu gosto de soja e de erva desconhecida a surpreendeu, ela riu sem razão; Kanto continuava impassível, serviram-lhes de novo um chá queimado ao qual ela preferiria uma cerveja. Meet Scott-san now, ele disse. Ela o seguiu até o carro, olhou as ruas desfilarem sem vê-las, assustou-se quando ele veio lhe abrir a porta. Scott-san inside, ele disse mostrando uma vidraça tapada por cortinas curtas.

O Nanzen-ji continuava seu trabalho, um véu de mineralidade o envolvia, alguma coisa se extraviava, alguma coisa se liquefazia. Ela entrou na casa de chá por uma porta envidraçada escondida atrás de quatro panôs de tecido marrom repletos de ideogramas. Era um edifício velho de muros escuros, com um telhado cinza e uma marquise também coberta de telhas cinza; dentro, um sonho de madeira, prateleiras velhas suportando jarros de chá antigos, selados por cordas laranja com pompons compridos; um areópago de mulheres jovens de blusa clara, avental verde e lenço branco posto sobre a cabeça como uma touca de freira, a cumprimentou com entusiasmo. Diante dela, caligrafias suspensas no teto indicavam certamente os chás à venda. Um balcão em L delimitava o espaço. Atrás, uma grande caligrafia vertical sinalizava espaços internos onde pessoas trabalhavam na pesagem e na embalagem. À direita, numa vitrine iluminada, estavam expostos utensílios, caixas de chá e uma pequena jarra preciosa cujo preço pareceu um exagero. Ela levou um susto quando foram lhe falar em inglês. De perto, o lenço da jovem a perturbou e ela não compreendeu o que a outra dizia.

— *Okyakusama* needs help? — repetiu a moça.

— Oh — disse Rose —, the tea room, please?

A jovem sorriu, indicou-lhe o fundo da sala e depois fez sinal para que virasse à direita. Beth Scott a esperava lendo, de costas para a parede arenosa. As mesas eram da mesma velha madeira escura que dava à casa sua pátina. Divisórias de madeira mais clara, rendilhada de linhas verticais, acrescentavam uma nota contemporânea. Curiosamente, a conjunção desses elementos recentes com a chaleira de ferro e os utensílios de bambu atrás do balcão dava uma sensação de tempo esticado, de fervor perdido. De um lado, via-se a rua por uma janela idêntica às de seu quarto, de outro, as vidraças de um janelão abriam para uma cena vegetal em miniatura, com um bordo, uma samambaia e algumas azaleias.

Beth Scott levantou os olhos para Rose.

— Ah, bom dia, bom dia — ela disse —, estou feliz em revê-la.

E como Rose se sentasse:

— Pronta para uma experiência mística?

Na iluminação filtrada da sala, seu rosto era suave, quase sedoso.

— Onde estamos? — perguntou Rose.

— Na única casa de chá da cidade onde se serve koicha.

Elas se observaram.

— Você andou um bocado — disse a inglesa.

Uma garçonete se aproximou, Beth fez o pedido num japonês que Rose achou delicioso. A jovem de avental verde riu pondo a mão diante da boca e sumiu esfregando o chão com os pés.

— Venho de Nanzen-ji — disse Rose. — Meu pai me faz passear de templo em templo, suponho que seja isso andar um bocado.

— O Nanzen-ji não é o mais belo de todos — disse Beth — mas sempre me dá um pouco de vontade de chorar.

— Parece que você passa a vida nos jardins zen — disse Rose.

— Foi Paul que lhe disse isso? — ela perguntou rindo.

A evocação a Paul a fez corar.

— Como você conhecia meu pai?

— Eu era uma de suas clientes mas também éramos amigos.

— O que faz na vida?

— Diversas coisas. Sou viúva, sou rica, amo Kyōto, passo aqui nove meses por ano, e não há mais nada a dizer.

Há muitas outras coisas a dizer, pensou Rose.

— Minha mãe morreu há cinco anos — disse. — Naquele momento, imaginei que meu pai entraria em contato comigo.

— Há cinco anos? — repetiu Beth. — Há cinco anos, Haru caiu doente e em seguida a doença foi longa e cruel.

— Todo mundo aqui ficou doente — disse Rose.

— Está pensando em Clara? — perguntou Beth.

A garçonete colocou na frente delas um docinho verde e oblongo para Beth, redondo e branco para Rose, tendo, à guisa de garfo, um palitinho de bambu. O prato de Rose era esmaltado de ranhuras marrons e cinza.

— Coma — disse Beth —, é melhor ter alguma coisa no estômago.

Rose usou, desajeitada, o palitinho, contrariada pela textura mole do doce. Dentro havia uma pasta vermelha, açucarada na boca, deliciosa em contraste com o sabor insípido do invólucro.

— Como ela era? — perguntou.

— Clara? Engraçada, pragmática, sem cerimônia. Paul é

um ser secreto, complexo. Ela era o acesso dele à vida terrena. Riam muito juntos. Ela o amava realmente.

Rose descansou o palitinho.

— Paul passou os últimos dez anos cuidando de doentes. Viveu só para eles, para sua filha e para seu trabalho.

— Não houve mulher na vida dele desde a morte de Clara?

— Há mulheres mas eu não diria que estão na vida dele.

— Mulheres em Tóquio? — perguntou Rose, logo se arrependendo da pergunta.

Beth Scott respondeu num tom neutro.

— Elas não são importantes.

Eu me ridicularizo sozinha, pensou Rose desesperada.

— Os funerais de Clara foram os mais tristes a que jamais assisti — Beth recomeçou. — Anna estava com dois anos, Paul só se mantinha de pé porque ela estava lá. Sem ela, acho que teria morrido. Ele estava num inferno e nós estávamos ao lado dele, desconsolados, impotentes.

Uma intuição cruzou a mente de Rose.

— Por que ele manca? — perguntou.

— Cabe a ele lhe dizer — respondeu a inglesa.

A garçonete trouxe duas tigelas numa bandeja, que colocou na mesa ao lado. Virou a primeira em sua palma, colocou-a diante de Beth, inclinou-se. De um belo marrom-claro, a tigela era enfeitada com um coelho branco, de gosto delicado. Agradou a Rose mas a segunda tigela a perturbou — suas irregularidades, suas rachaduras cinzentas sobre um verniz claro, sua sobriedade torturada, sua impertinência de cicatrizes alucinadas.

— Deve-se esta técnica de cozimento craquelê aos Song do Norte — disse Beth. — Não é magnífico? Da maior simplicidade, em total imprevisibilidade, nasce a complexidade.

No fundo das tigelas, havia uma espécie de pasta de um verde intenso, quase fluorescente. Rose fez a dela inclinar-se para a direita e para a esquerda. A pasta mal oscilou.

— Isso se bebe? — perguntou.

Beth balançou a cabeça. Rose cheirou a substância e o chá de Kōtō-in lhe voltou à memória, sua força de nada, sua potência total; bebeu como quem se joga na água fria. O amargo lhe pegou no estômago, e depois, imediatamente depois, sentiu na boca um gosto de agrião, de legume, de pradaria — será que eu gosto disso?, pensou. Tudo se aguçava. Em sua garganta passava a consciência de vastas extensões de vegetação.

— É o primeiro matcha concentrado da cerimônia do chá — disse Beth. — Agora, vão lhe servir um segundo, mais leve, acrescentando água ao que resta no interior da tigela.

Rose lambeu o que conseguiu de pasta de chá residual. Alguma coisa a levava de volta ao Nanzen-ji, à espessura do tempo, a uma primitividade perdida. A garçonete veio tirar as tigelas, Rose não desejava mais nenhum doce, somente o amargo que parecia uma lâmina e oferecia uma viagem por região esquecida.

— Ontem à noite sonhei com um grande templo precedido de um campo de ameixeiras — ela disse.

— Poderia ser Kitano Tenmangū — disse Beth —, em Imadegawa, indo para o oeste. Em fevereiro, todo mundo vai lá admirar as flores.

Ela apontou para sua tigela.

— No fim do século XVI, houve lá uma das maiores cerimônias do chá que o imperador organizou, com três dos fundadores dessa cerimônia, entre eles Sen no Rikyū. Dizem que havia milhares de convidados.

Abruptamente, Rose pensou em Paul. Sacudiu a cabeça, tentou mudar de assunto.

— Você tem filhos? — perguntou.

Beth ignorou a pergunta.

— A revelação da sua existência foi um choque — disse. — Você precisa imaginar a metade de Kyōto no funeral, e Paul lendo a carta de Haru.

— A carta? — disse Rose.

Um silêncio.

— Ela lhe será entregue pelo tabelião, penso — disse Beth, afinal.

— Tudo se decide sem mim — murmurou Rose.

Beth sorriu.

— É a vida.

Trouxeram-lhe o segundo chá, do mesmo gosto que o do Kōtō-in mas de uma finura superior em que Rose detectou eflúvios de floresta, de caçadas em bosque.

— De que você gostou em Nanzen-ji? — perguntou Beth.

Rose buscou as palavras.

— Sua limpidez, sua liquidez imóvel, primitiva.

Beth riu de novo, um riso apreciador, um pouco espantado.

— Vocês se parecem, Paul e você — disse.

— Não vejo em quê — disse Rose.

— Mares interiores. É aí que vocês navegam.

Inclinou a cabeça, pensativa.

— Isso teria agradado a Haru — acrescentou.

Ela não tocara no doce.

— Não vai terminá-lo? — ela perguntou.

Rose fez que não com a cabeça, Beth sorriu.

— Agora preciso ir embora — disse —, mas da próxima vez vou levá-la a outra casa de chá que, creio, você também apreciará.

Lá fora, despediram-se. Na casa de Haru, Rose ficou em seu futom, com uma sensação de insuportável tensão — ou seria frustração?, perguntou-se. Os lírios da véspera tinham sido substituídos por uma camélia rosa e sua ressonância com o Nanzen-ji lhe chamou a atenção. Tudo se encaixa, pensou, mas eu não faço parte desse todo. Revia as pedras imóveis e moventes, a areia cinza, alinhada, as árvores sobre o musgo: cada imagem a remetia à ausência de Paul; sem saber por quê, sentia derivarem grandes blocos de banquisa, numa mineralidade líquida. Depois de uma hora nessa ociosidade disforme, levantou-se, foi para o corredor, onde ficou imóvel, em suspense. Finalmente, pegou à esquerda e na altura das paredes de madeira escura fez uma porta correr, ao acaso. Entrou numa sala fresca e nua. Sobre os tatames estavam espalhados tigelas de chá, alguns recipientes de barro e de laca, um batedorzinho de bambu. Direto no chão, um braseiro tendo ao alto uma chaleira de ferro; numa alcova, um rolo figurando três violetas inclinadas para um solo de gelo; abaixo, num vaso de bronze, uns pedacinhos de bambu. Pelo janelão aberto para um pátio de azaleias, ela via o dia terminando e nacarando as folhas úmidas das plantas. A sala estava vazia, silenciosa — no entanto, Rose ali percebia uma *existência*, um fantasma atento e mudo. Aproximou-se de uma tigela marrom de flancos torturados, tentou imaginar seu pai naquela sala, manejando aqueles instrumentos, bebendo naquelas tigelas humildes e soberbas. Ao lado do batedorzinho de bambu haviam esquecido uma espécie de lenço brilhoso; de um belo violeta profundo, o lenço repousava conforme dobras lânguidas; parecia que acabava de cair de uma mão invisível e, por um instante, Rose teve a impressão de entrever uma silhueta inclinada que se movia devagar, com gestos delicados e poderosos. Aproximou-se do rolo na alcova. Sob as flores, tinham caligrafado caracteres dispostos como um poema. Alguns, no alto à direita, se transformavam em pássaros lançados para o céu; do solo gelado subia uma bruma leve; as violetas *viviam*. Um barulho lá fora a fez soltar-se de sua meditação. Saiu e fechou a porta, animada por uma estranha reverência.

Na sala do bordo encontrou Sayoko sentada a uma mesa baixa, papéis espalhados diante dela, óculos no nariz.

— I'd like to go to Kitsune for dinner — disse.

— Now? — perguntou Sayoko.

Ela assentiu. A japonesa pegou seu telefone, ligou para alguém, desligou.

— Kanto-san coming in ten minutes.

— Thank you — disse Rose.

E, num impulso:

— I need to write a letter.

Sayoko se levantou, foi buscar numa pequena escrivaninha uma folha de papel e um envelope. Rose se sentou ao lado dela, pegou a caneta que ela lhe entregava, perdeu-se em pensamentos sem continuidade. Depois escreveu: *Gostaria que você me falasse de meu pai.* Por fim, prendendo a respiração: *Sinto falta de você.* Dobrou rapidamente a folha, fechou o envelope, entregou-o a Sayoko dizendo: For Paul, e, apavorada, fugiu para o jardim.

8.

Na China dos Song do Norte, quando poesia, pintura e caligrafia andavam juntas, aninhadas como joias no sonho dos sábios antigos, gostava-se muito em especial de representar e compor versos com as paisagens e as flores. Ora, um dos maiores poetas de paisagens daquela época tinha uma neta que todo dia lhe pedia que desenhasse uma camélia para ela. Por dez anos ela intercedeu em favor de sua flor. Aos quinze anos, morreu à noite, de uma afecção fulminante. De manhãzinha, Fan Kuan pintou uma camélia molhada de suas lágrimas e caligrafou embaixo um poema de pétalas que tinham voado. Por fim, contemplando o rolo ainda úmido, viu com terror que era a sua mais bela obra.

Uma camélia molhada
de suas lágrimas

Quando chegaram diante da lanterna vermelha de Kitsune, ela já não soube por que desejara ir lá. Kanto instalou-se no bar, ela se sentou em frente a ele, numa mesa para seis. O yakitori estava deserto. O cozinheiro veio vê-la. Same as last time but beer only, ela disse. Ele foi para a cozinha. Não expressara nenhuma emoção. Ela bebeu a primeira cerveja de um só gole, olhou ao redor. Via detalhes novos. Sobre o balcão, diante das garrafas de saquê, havia um velho telefone de disco; anúncios publicitários de metal enferrujavam aplicadamente; alguns cartazes de mangá estavam rasgados. Que homem era Haru para gostar de um lugar daqueles?, perguntou-se. Uma onda de ressentimento a fez pedir outra cerveja. Sentia-se só, cega, criticou-se por um excesso de sentimentalismo, zangou-se por ter esperado — mas esperado o quê?, pensou ao pedir uma terceira cerveja. Kanto lhe dava as costas, falava placidamente com o cozinheiro, ela sentia sua vigilância respeitosa, exasperava-se com isso. A obra da morte, a obra das pedras líquidas, a carta que escrevera a Paul pareciam-lhe, agora, ridículas. Beliscou os espetinhos com o mesmo ressentimento. Quando quis a quarta cerveja, viu que o cozinheiro olhou para Kanto. O motorista fez um pequeno gesto que significava: Pode deixar que eu me arranjo, e isso a mortificou. Mais tarde, quando quis se levantar, ele foi pegá-la pelos ombros. Ela não reclamou, deixou-se levar até o carro. No jardinzinho, fez sinal de que ficaria sozinha, e ele não insistiu. Foi parar na sala escura do bordo; a árvore vibrava suavemente, os galhos pesados de noite; as árvores do Nanzen-ji arranharam sua memória com uma acuidade dolorosa. Foi para o quarto, despiu-se. Nua, sentindo-se em carne viva, olhou pela janela, passou a mão na testa, avistou o quadrado de papel posto sobre o futom. Ajoelhada, decifrou-o no escuro. *Paul-san coming tomorrow at 7:30, I wake you at 7:00, Sayoko.*

Deixou-se cair sobre os tatames, com os braços em cruz. Uma concha de estrelas brilhava entre as nuvens; do rio subia uma melopeia estranha; ficou muito tempo acordada, sem se mexer. Um pouco mais tarde, acordou sentindo um arrepio, ergueu-se sobre o futom, cobriu-se com um lençol leve. A noite brilhava, ela sentia a presença de espíritos secretos, de uma vida de penumbra percorrida por suspiros, lembrou-se de sua chegada, das flores de magnólia salpicadas de luz, da presença, já então, dos espíritos. Tudo é idêntico, tudo está em mutação, pensou. Uma corola crescia, ela se sentia aterrorizada. Soçobrou num sono sem sonhos. Três batidinhas à porta a acordaram sobressaltada. Levantou-se, viu que era dia. Estava com dor de cabeça. It's seven o'clock, disse a voz de Sayoko do outro lado da porta. I am getting ready, resmungou Rose. Pegou o sabonete para lavar o cabelo, não conseguiu se pentear, pôs um vestido amassado, o trocou por uma saia e uma blusa que não combinavam. No espelho, ela mesma lhe fez o efeito de ser uma criatura mal-acabada. Passou batom, tirou-o apressadamente com um algodão, foi até a sala do bordo. Paul e Sayoko olhavam para ela e começaram a rir. Ela ficou imóvel, confusa.

— O que há? — perguntou.

Sayoko deu três passinhos na direção dela, tirou um lenço de sua obi azul e lhe limpou a bochecha. Rose cruzou seu olhar, em que leu uma compaixão discreta. A japonesa deu um passo atrás, apreciou seu trabalho, riu de novo apontando para a blusa dela.

— Você a pôs do avesso — disse Paul. — É um conceito? Combina com o batom na bochecha?

Ele lhe sorria. Tinha uma aparência cansada, divertida. Ela observou que ele era alto, de pele clara — alto e cansado, pensou, eu o esgoto.

— Tenho tempo para me trocar? — perguntou.

— Seria uma pena, você já iluminou meu dia sombrio.

— Estou com muita dor de cabeça — ela disse.

Ele dirigiu umas palavras a Sayoko, que fez sinal a Rose para segui-la até a cozinha. Lá, ela a sentou como a uma criança, deu-lhe um copo de água e um comprimido branco que Rose engoliu docilmente. Rose-san eat something?, perguntou Sayoko. Ela declinou, pôs a blusa do lado direito, saiu da cozinha e seguiu Paul até o vestíbulo. Atravessaram o jardim. Diante do portão, ela se virou e viu Sayoko se inclinar. Finalmente, a japonesa lhes fez um sinalzinho com a mão. Rose baixou a cabeça, enfiou-se no carro.

— Desculpe por esse despertar tão matutino — disse Paul —, mas devemos estar no templo na hora da abertura. Depois, haverá muita gente.

— Pensei que você ficaria em Tóquio hoje — ela disse.

— Voltei de manhã cedo. Depois do jantar, passei de novo no apartamento, tomei um banho e peguei o Shinkansen das quatro horas.

— Você tem apartamento em Tóquio?

— O de Haru.

— Você não dormiu?

— Não — ele disse —, estava jantando com clientes. Foi um longo jantar.

Ele riu.

— Nenhum negócio sério no Japão se faz sem um longo jantar e muito saquê.

Ela ficou pensando se ele tinha lido sua carta, imaginou-o na plataforma de uma estação, perdido em pensamentos nos quais ela não figurava. Que ele estivesse a seu lado a perturbava; lembrou-se de que pegara na sua mão, na antevéspera; a ideia a apavorou. Ele não dizia nada, olhava as ruas desfilarem. O carro parou num estacionamento já lotado onde havia três ônibus de visitantes. Ela o seguiu por uma passagem arborizada tendo de um lado e outro algumas lojas, esperou-o diante da bilheteria do templo, seguiu-o ao longo de um caminho margeado por um grande lago com nenúfares que lhe pareceu desagradavelmente pitoresco — é um troço para turistas, pensou, e depois: Eu sou uma trouxa de roupa que levam de lavanderia em lavanderia. Deixaram a beira do lago, subiram os degraus de pedra sob um arco de bordos indolentes, chegaram à entrada do templo, descalçaram-se, pegaram à esquerda atrás de outros visitantes e chegaram à frente do jardim.

— Ryōan-ji — disse Paul.

Ela olhou o grande retângulo de pedras e areia e não sentiu nada. Então, como o som de uma deflagração que chega só depois, deixou-se cair no chão da galeria de madeira, esmagada de *matéria*. No exterior do jardim, galhos de bordos e cerejeiras caíam em cascata sobre os muros que circundavam o terreno. Mais além, as folhagens formavam uma tela cerrada, exuberante. Dentro, havia apenas areia estriada de linhas paralelas e sete pedras de tamanhos diferentes em torno das quais havia elipses desenhadas — mas Rose só olhava para os muros de telhado inclinado, com telhas de cumeeira cinza e um revestimento de cortiça. Ocre, furta-cor e patinados como um palácio italiano, eles faziam eco ao dourado das camadas de musgo que cercavam as pedras.

— Os muros sempre foram dessa cor? — perguntou.

— Não — respondeu Paul —, penso que originalmente eram brancos.

— Eles fazem o jardim — ela disse.

Ele pareceu surpreso.

— As pedras foram arrumadas de tal maneira que nunca é possível abarcá-las com um só olhar — disse.

Ela tentou se concentrar na rocha e na areia, seu espírito se extraviou, voltou para o afresco dos muros.

— Há uma glosa infinita sobre o Ryōan-ji — ele acrescentou.

— Você a leu?

— Em parte, para o trabalho.

— Ela lhe ensinou alguma coisa?

— Você aprendeu alguma coisa lendo seus livros de botânica? — ele perguntou.

A pergunta lhe desagradou.

— Suponho que sim — ela disse.

No entanto, eu não olho para as flores, pensou. Voltou para a *matéria*, onde procurou reconforto.

— Haru era duro nos negócios e leal na amizade — disse Paul.

Ele recebeu minha carta, ela pensou. Alguma coisa nela balançou, a substância dos muros agarrou-a.

— Quando o encontrei, ele me disse: Tenho muito bom gosto mas não tenho nenhum talento. No correr dos anos, compreendi que era sua força: ele sabia exatamente quem ele era.

Ela tentou se concentrar nas elipses em torno das três primeiras pedras, não conseguiu fixar sua atenção.

— Era o que lhe atraía tanta gente.

O olhar de Rose voltava ao dourado dos muros.

— Ele era japonês nos hábitos e atípico nos pensamentos. Acho que também gostava de me ter perto dele porque era preciso um ouvido estrangeiro para suas concepções heterodoxas.

— Sobre o quê? — ela perguntou.

— Sobre as mulheres, por exemplo. As japonesas não conheceram nossos movimentos feministas mas Haru, a seu jeito, era feminista. Não dava festas entre homens. Na casa dele, as mulheres participavam das conversas.

— É por isso que fazia filhos nas estrangeiras de passagem? — ela perguntou e, sabendo que se mostrava pueril, mordeu o lábio.

Ele não fez nenhum comentário.

— O mais belo traço de seu caráter era que ele sabia dar. A maior parte das pessoas dá para receber, por obrigação, por convenção, por automatismo. Mas Haru dava porque tinha compreendido o sentido do dom.

Ela farejou um perfume de perigo, concentrou-se no muro e teve subitamente o olhar atraído por uma pedra. Quase rente à areia, menor que as outras, a pedra navegava em mar infinito.

— Quando Clara ficou muito doente, nos últimos meses, nós nos falávamos toda noite. Eu ia vê-lo em seu escritório, tomávamos saquê, ele me escutava, conversava comigo. Nunca tive a sensação de que se obrigava a isso. Não sei se dois homens jamais alcançaram tamanha cumplicidade.

Calou-se, ela compreendeu que ele não queria continuar. Atrás deles, uma tropa de chineses barulhentos fazia tremer o chão da galeria.

— O Ryōan-ji não a inspira? — ele perguntou.

— Parece um gigantesco banheiro para bichinhos de estimação — ela disse.

Ele caiu na risada e, por um instante, ficou transfigurado. É o Paul de antes, ela pensou, aquele que a morte do outro matou. Ficaram ali, um momento em silêncio. Da pedra solitária que havia agarrado seu olhar, Rose foi para as outras, seguiu um texto de rocha e de areia; também a cena se transfigurava: ela escrutou os muros, não viu mais o que imaginara ver ali. Voltou à secura do retângulo de areia, detectou uma vibração no *tempo* — tempo de nascer, tempo de sofrer, tempo de morrer, pensou. Olhou para Paul. Ele fechara os olhos, ela se lembrou de suas lágrimas no cemitério. A sensação de perigo crescia, ao mesmo tempo que uma presença amiga, que um frêmito de esperança. Então, olhando para os muros que tinham se tornado ocre pela graça dos anos, soube que eles só se aguentavam em pé pela força do jardim, que sua mineralidade sem flores transmudava o tempo em eternidade; soube que, por essa metamorfose das horas, mais nenhum ato teria o mesmo significado; por fim, por uma razão desconhecida, o sinal da mão de Sayoko, mais cedo, lhe voltou à memória — na solidão das pedras perdidas da areia havia uma oferenda. Que oferenda?, ela se perguntou escrutando a cena. Que podem dar a secura e a nudez? Deixou seu espírito vagar ao sabor da partitura das sete pedras, sentiu de novo que elas a afogavam num mar sem idade e que o jardim, por si só, *dava*.

Paul se levantou e ela o seguiu, concentrada no seu andar sincopado e fluido. No carro, viu que ele estava cansado.

— E agora? — perguntou.

— Levo-a de volta para a casa de Haru.

— Não almoçamos juntos?

— Devo ir buscar Anna, ela voltou ontem à noite — ele disse.

— Você voltou por causa de Anna? — ela perguntou.

Ele deu a impressão de não ter ouvido a pergunta.

— E pelos últimos templos antes do tabelião, é claro — ela acrescentou.

— Voltei por você — ele disse —, sentia falta de minha chata profissional.

Inclinou-se para Kanto, disse alguma coisa à qual o motorista aquiesceu, deu um breve telefonema em japonês. O trajeto durou muito tempo, num silêncio que a fez sentir-se frágil. No centro da cidade, desceram do carro numa grande rua com arcadas. Paul se enfiou num pórtico, subiu um andar. Ela sentia o cansaço dele, a dor que tinha no quadril. Ele empurrou uma porta e viram-se numa sala ultramoderna com mesas brancas e cadeiras verde-maçã. Atrás do balcão, grandes cartazes mostravam uma espécie de waffle com diversas coberturas extravagantes. Ele se sentou com alívio, ela se instalou defronte dele.

— São gaufres?* — ela perguntou.

— Sim, não esqueça que eu sou belga — ele disse.

Atrás dela a porta se abriu. Ele sorriu e se levantou, recuperando toda a energia. Ao se virar, Rose viu uma garotinha morena e bronzeada que corria até eles. Ela fez uma ligeira pausa ao avistá-la e depois se jogou nos braços do pai. Estava acompanhada por uma japonesa, talvez de seus quarenta anos, que se aproximou timidamente. Paul, com o braço nos ombros da filha, a cumprimentou e trocaram umas palavras rindo. Rose se levantara. O rosto de Anna a fascinava.

— Anna, esta é Rose — disse Paul.

A menina olhou gravemente para ela, aproximou-se, levantou-se na ponta dos pés e a beijou na face.

— Você é a filha de Haru? — perguntou.

---

* Gaufre, espécie de waffle, é um doce tradicional na Bélgica, seu país de origem. (N. T.)

— Parece — ela respondeu.

Anna a examinou com um olhar intenso, boca fechada, cenho franzido.

— Rose, apresento-lhe Megumi — disse Paul —, a mãe de Yoko, a amiga de Anna.

A japonesa inclinou-se sorrindo, disse umas palavras hesitantes.

— Ela lhe dá as boas-vindas a Kyōto. Pergunta quanto tempo você espera ficar.

— Não sei — disse Rose —, faço o que me dizem.

Novamente, o olhar afiado de Anna. Paul traduziu alguma coisa que pareceu satisfazer Megumi; ela se despediu inclinando-se: na porta, virou-se e fez o mesmo gesto que Sayoko. A garçonete foi anotar o pedido, Anna começou a tagarelar, Paul a ouvia, sorrindo. Chegaram as gaufres, a menina se jogou em cima da sua, Rose contemplou com circunspecção seu próprio andaime de massa, calda verde e grãos vermelhos.

— Você não gosta de gaufre? — perguntou-lhe Anna, de boca cheia.

— Esse suco de marciano não me diz muito — ela respondeu.

A menina caiu na risada, olhou para o pai. Rose estava surpresa que ela fosse tão morena e de pele bronzeada quanto ele era louro e pálido — e além disso, pequena e frágil, feições finas, nariz levemente arrebitado, olhos pretos e brilhantes. Deve ser o retrato escarrado da mãe, pensou. Anna contava as férias entre uma e outra dentada voraz, ria, olhava para ela por intermitência; então Rose sentiu a vigilância, sua paciência de observadora meticulosa; eu era assim, lembrou-se. Anna suplicou a Paul que pedisse outra gaufre, pegou Rose como testemunha, fez uma expressão vitoriosa quando ele cedeu. Depois, de repente, ficou séria.

— Onde você mora? — perguntou.

— Em Paris — respondeu Rose —, mas também tenho uma casa na Touraine.

— Onde é?

— Um pouco ao sul.

— Tem histórias lá?

— Histórias?

— Histórias de fadas, de duendes que moram lá?

A garotinha a olhava nos olhos. Será que tenho vontade de falar disso?, perguntou-se Rose. Olhou para Paul. A ruga em sua testa estava mais funda, ela viu que ele estava preocupado. Anna esperava.

— Tem — ela disse afinal —, minha avó conhecia todas, em especial as dos demônios alegres.

— Você vai me contar? — Anna perguntou.

O coração de Rose foi arrancado como um matinho, houve um instante entre dois mundos; depois as pedras do Ryōan-ji convidaram-se para a ronda — sua nudez, sua solidão mineral, a certeza de seu texto mudo; a evidência dada pelo desfecho. Alguma coisa balançou em meio a uma dor aguda.

— Vou contar todas elas para você — disse.

Anna lhe sorriu. Sou uma borboleta que está sendo espetada viva, pensou Rose. Paul se levantou, foi pagar. Ela sentia que ele estava aliviado. Ao pé da escada, Kanto os esperava.

— Você tem todo o seu tempo — disse-lhe Paul —, devo acompanhar Anna ao dentista e em seguida tenho clientes que levarei para jantar. Amanhã de manhã venho buscá-la, hoje Kanto fica à sua disposição.

— E você? — ela perguntou.

— Eu moro ao lado — ele disse apontando os edifícios do centro. — Aonde você quer ir?

— Vou primeiro para casa, trocar de roupa.

Ele disse umas palavras a Kanto, ela entrou no carro. Anna se inclinou e a beijou de novo no rosto. Rose cruzou o olhar de

Paul, vendo ali um véu de tristeza. Gostaria de pegar no seu braço, retê-lo, puxá-lo para si. Ele fechou a porta. Enquanto o carro se afastava, Anna abanou energicamente a mão, Rose retribuiu com o mesmo aceno de Sayoko. Quando chegaram à casa de Haru, ela subiu para o quarto, jogou-se no chão, onde passou o resto da manhã. A camélia rosa resplandecia com fogos alegres e melancólicos, ela se absorvia na sua contemplação, alguma coisa dentro dela agitava-se sem trégua.

Mais tarde, trocou de roupa, foi à sala deserta do bordo, bateu na porta da cozinha e entrou. Sayoko e uma jovem com uniforme de faxineira tomavam chá. Prepararam-lhe um café e uma tigela de arroz, ela esperou, sentada nos tatames. As duas mulheres conversavam animadas. Rose as ouvia, aliviada por não falar, feliz por não entender. Tomou o café, comeu o arroz, quis ir embora. Sayoko lhe fez sinal para que esperasse, remexeu na bolsa em cima de uma estante, tirou dali um telefone e lhe entregou. Code zero zero zero zero, disse. Number one is Paul san, number two is Sayoko, number three is Kanto-san. Rose pegou o telefone, voltou para o quarto, deitou-se de novo. Um grande temporal deixou o mundo escuro, a camélia brilhava com clarões nos reflexos da chuva. Um instante depois, ela saiu e no corredor, por impulso, abriu a porta corrediça que ficava em frente à sala de chá. Entrou num aposento com tatames que dava para o rio. À guisa de móvel, só havia um leito de hospital, erguido no espaço como uma aranha; em frente, um grande quadro abstrato; sobre uma mesa de cabeceira laqueada, um vaso preto. Na luz da chuva, a cena parecia movente, incerta. À mancha esbranquiçada do colchão respondia a força viva da pintura, imensa mancha carmim afogada numa demão de tinta profunda. Mas embora fosse sem traços nem contornos, Rose tinha a convicção de que a mancha representava uma flor — uma camélia, um lótus, uma rosa talvez. Será que ele morreu aqui?, perguntou-se e, aproximando-se, esticou a mão para o colchão nu. Prendeu a respiração, hesitou, recuou. Um perfume indefinível misto de cedro, anis e violeta pairava na cena. Parecia-lhe que sombras se demoravam no aposento, e por um instante ela acreditou sentir um sopro na nuca. A violência do leito metálico a perturbava, enquanto outra sensação abria caminho dentro dela. De repente, a evidência de que a corola *vivia* apesar das forças da morte a invadiu. Pensou em Anna, em seus olhos brilhantes, nos demônios alegres, no aceno de mão que ela lhe fizera enquanto o carro se afastava. Então reviu o jardim de pedras e de areia cingido de muros dourados e pensou: Os muros não são nada sem o jardim, o tempo dos homens sem a eternidade do dom.

9.

Conta-se que, uma manhã, Sen no Rikyū lavava com água pura as pedras do caminho que levava à sua casa de chá quando uma jovem raposa surgiu dentre as árvores vizinhas e se postou sob a folhagem de um grande bambu celeste. Por um instante observaram-se calados, e depois a raposinha arrancou delicadamente um galho de bambu e foi depositá-lo sobre uma das pedras achatadas que os convivas da cerimônia pisariam naquela mesma noite. Quando seu jovem discípulo se espantou que ela o deixasse ali, na passagem dos convidados, Sen no Rikyū lhe disse: A raposa e o bambu ensinam o desvio.

O bambu ensina o desvio

Às três horas, Rose resolveu sair. Na sala do bordo, encontrou Sayoko arrumando um buquê de ramos de magnólia. Deu a entender que ia embora mas a japonesa largou as flores, pegou sobre uma mesa baixa uma bolsinha com estamparia de nuvens rosa e lhe entregou dizendo: Money for stroll. Rose agradeceu com um aceno, Sayoko sorriu, ela sorriu de volta, indecisa. Enquanto ela se preparava para se dirigir à saída, a japonesa tirou de seu cinto uma fotografia e lhe entregou. Surpresa, Rose pegou-a. Via-se Sayoko e três outras mulheres com o mesmo rosto suave; só diferiam a cor e o corte dos cabelos pretos ou grisalhos; tinham a pele nacarada, a forma oval pura; riam, sentadas sobre tatames diante de um cenário de montanhas.

— My sisters — disse Sayoko.

Rose continuou quieta. A foto estava amassada, ela imaginou que Sayoko a olhava frequentemente. Escrutou as feições das irmãs com curiosidade. Mulheres de dever, pensou, mas o riso delas é vivo.

— You need one — acrescentou a japonesa.

Rose assentiu, devolveu-lhe a fotografia. No vestíbulo, pegou um guarda-chuva. As pancadas de chuva eram regulares mas o céu clareara e via-se o sol sob o recorte das nuvens. Foi até o rio; umas garças-reais imóveis espraiavam-se pelas margens. Andou até a ponte do segundo dia, pegou à esquerda diante da entrada da galeria coberta, caminhou um pouco sob as arcadas da rua do restaurante das gaufres. Uma porta automática se abriu à direita e deixou passar uma barulheira alucinante. Ela entrou numa sala violentamente iluminada de neon, não entendeu o que via. Diante das máquinas de cassino multicoloridas estavam sentados homens e mulheres, o olhar vazio. O barulho era inacreditável, a feiura, insana; o inferno, o verdadeiro, ela pensou, o antimundo de Haru. O absurdo daquele Japão doente e louco a enxotou, ela voltou para a galeria coberta, pegou à direita até a grande avenida, atravessou-a, continuou rumo ao norte. Depois de alguns metros, a rua se tornava mais charmosa, tendo nos dois lados butiques sofisticadas. Entrou numa, admirou sobre as prateleiras de madeira uma louça parecida com as xícaras de seu pai, achou tudo magnífico. Aproximando-se de um prato fundo com granulado de arroz, branco com asperezas que recebiam a claridade aqui e acolá, viu ao lado a foto de um homem em frente a um torno de ceramista. Ficou pensando se seria um dos artistas de Haru, decifrou o preço do prato, concluiu que não era caro o suficiente. Saiu, subiu a rua, olhou vitrines de pincéis, de papel, de lacas. Sentia-se ociosa, incongruente; Kyōto não a esperava, não a conhecia, ela perambulava ao acaso, inútil e fútil. Pensou em Sayoko, nas quatro irmãs, no rosto delas sorrindo — prisioneiras mas luminosas, conjecturou, e sentiu-se ainda mais descompassada. Logo depois, à direita, reconheceu a casa de chá e as faixas de tecido com ideogramas flutuantes. Tudo o que, no centro da cidade, antes lhe parecia desprovido de graça, agora a tocava; os pequenos edifícios, as ruas sossegadas, as lojas preciosas; compreendia a continuidade entre aquilo tudo e os jardins admiráveis. As palavras de Beth Scott voltaram-lhe à memória: jardins onde os deuses vêm tomar chá. Ou melhor, um país para demônios alegres, pensou, mesmo no coração do sublime, aqui estamos em companhia da criança que fomos.

Entrou na casa de chá, deixou-se conduzir a uma mesa do outro lado da sala. Fez o pedido em inglês, viu a garçonete de avental verde sorrir. Which koicha?, perguntou a jovem. Rose ficou desconcertada. A moça mostrou-lhe o cardápio, havia dois, ela escolheu o mais barato. Ao primeiro grande gole pastoso, pensou em Paul, em sua ausência, em sua tristeza abissal. A ideia de que era preciso esperar o dia seguinte para revê-lo lhe foi insuportável. Sou uma trouxa de roupa suja jogada em cima do balcão deserto, pensou também. Bebeu um segundo gole de koicha e o rosto de Anna a invadiu — seus olhos atentos, ávidos de histórias de duendes, o pensamento de que ela não tinha as feições do pai, de que se parecia com a mãe. Terminou sua xícara, esperou a seguinte, bebeu-a depressa, reconfortada pela amenidade do chá leve. Pegou o telefone, debateu-se um instante com as teclas, encontrou os contatos, apertou o terceiro, esperou. Quando ouviu a voz de Kanto, disse: I am at the tea house, can you come? Ten minutes, ele respondeu. Ela pagou e saiu para esperar na calçada. Já não chovia, o ar cheirava a asfalto.

Kanto chegou e, no carro, virou-se para ela. Can we go to Nanzen-ji?, ela perguntou. Closed now, ele respondeu. Ela olhou seu telefone. Eram seis horas. Home then, disse. Na sala deserta do bordo, teve vontade de se deitar e dormir sob as folhas. Levou um susto quando o telefone tocou. Abriu-o, viu *Paul* inscrito na tela. Atendeu, o coração disparado.

— Você está muito cansada para um drinque depois do jantar? — ouviu-o perguntar.

— Não — respondeu.

— Estará na cidade?

— Estarei na casa de Haru.

— Passo para buscá-la assim que terminar com meus clientes.

Ela foi até o quarto, tomou um banho, pôs um vestido de flores, passou batom, prendeu o cabelo, resistiu ao impulso de tirar a maquiagem, voltou para o salão. O bordo balançava levemente. Ela se deitou num sofá baixo e gostou da sensação de que tudo rodava. Logo dormiu. No fundo de seus sonhos indistintos voava uma fada que tinha o rosto de Anna; ela deslizava em pleno céu e depois pousava em seu ombro e murmurava seu nome. Acordou e, abrindo os olhos, viu Paul debruçado sobre ela. Endireitou-se, desorientada. Ele a olhava gentilmente mas, de repente, riu.

— Você tem um problema com o batom — ele disse.

Ela passou a mão no rosto e ele riu de novo.

— Talvez fosse melhor usar um espelho — sugeriu.

Ela foi ao banheiro, viu que o batom tinha escorrido pela comissura direita. Eu estava babando, pensou, horrorizada. Tirou a maquiagem, esboçou um passo para sair, mudou de ideia, passou de novo batom, arrumou o penteado. Quando o encontrou, viu em seu olhar que ele a achava bela. Seguiu-o até o carro numa atmosfera úmida, sob uma lua envolta em brumas. Alguém o chamou ao telefone, a conversa em japonês durou muito tempo; ela ouvia o cansaço em sua voz, sentia sua reserva, a discrição de seu corpo. Ele desligou, ela não suportou o silêncio e se mexeu em seu assento.

— Você nunca pensou em voltar para a Bélgica? — perguntou.

Ele se virou para ela. No claro-escuro do carro, seu rosto parecia grave, a ruga da testa, acentuada. A palidez de sua pele parecia uma máscara.

— Para a Bélgica?

Seu telefone tocou de novo, ele o ignorou.

— Tudo o que eu queria quando cheguei ao Japão era viver em Kyōto e frequentar um certo tipo de arte e de cultura. Haru me ofereceu essa possibilidade. A morte acabou de me enraizar aqui.

Ela quis mudar de assunto, dizer: Faz dois dias que você não dorme, deve estar exausto, mas o carro já ia parando numa rua do centro da cidade. Desceram, pegaram um lance de escada até uma porta anônima e entraram num salão escuro iluminado em alguns pontos por cones cintilantes. Ao longo da parede da esquerda, presos numa fila de pedras cinzentas, lançavam-se bambus celestes. À direita, clientes bebiam num balcão diante das adegas de saquê iluminadas como capelas. A entrada deles foi saudada por gritos alegres; do fundo da sala, cinco homens sentados a uma mesa mexiam os braços na sua direção e Rose reconheceu um deles.

— O ceramista bebum — murmurou.

— Mas em grupo, o que é mais terrível — disse Paul. — Infelizmente, já não podemos recuar.

— Quem são os outros?

— Um fotógrafo, um produtor da televisão nacional, um músico e um colega francês, todos já bem calibrados a esta hora.

— Um colega seu?

— Mais exatamente, um antiquário parisiense.

Aproximaram-se e de repente Rose se sentiu leve. Quero beber, pensou, afinal de contas, por que não? Os japoneses olhavam gentilmente para ela, Keisuke Shibata tinha nos lábios um sorriso debochado. Ela cruzou seu olhar. É a noite do cara a cara, pensou, espantada com esse pensamento insólito. O francês, um cinquentão hirsuto de pulôver de cashmere e gravata larga de poá, tirou da cabeça um chapéu invisível.

— A senhorita é francesa? — perguntou.

Ela fez que sim. Ele assobiou, amável.

— Desculpe não me levantar — disse —, mas já não estou propriamente em condições. Quanto aos japoneses, são uns bárbaros, não se levantam em presença de uma mulher.

Pareceu refletir.

— Embora aqui eu seja o único gay.

Depois, servindo-se de novo de bebida:

— O que não tem nada a ver.

Rose e Paul sentaram-se, os japoneses pediram ruidosamente saquê, ela deu um gole no primeiro copo.

— Meu nome é Édouard — disse o antiquário, ao lado de quem ela se sentara. — E o seu é?

— Rose.

Keisuke pronunciou o nome de seu pai, rindo.

— Ah, você é a filha de Haru?

— Entre outras — ela respondeu.

— E além disso? — ele indagou.

— Sou botânica.

— E afora isso?

Afora isso?, ela se perguntou.

— Sou uma chata.

Ele riu e iniciou uma conversa sobre vários assuntos na qual, com a ajuda do saquê, ela se atirou de bom grado. A noite continuou assim, ela bebendo, ela conversando com Édouard, ela rindo, e depois de uma hora, ela sabendo estar brilhantemente bêbada. Parecia-lhe que eles tinham falado de flores, de restaurantes, de amor, de traição — mas seu olhar, fazia um momento, voltava a um bambu celeste cujo galho, mais baixo que os outros, acariciava o chão de madeira; parecia uma pena rebelde sobre a plumagem lisa de um pássaro verde-claro; escapando da fila, entravando a passagem, o galho berrava alguma coisa com todos os seus pulmões de clorofila. Diante dela, Paul conversava com seus vizinhos; Keisuke, em intervalos regulares, gritava pedindo saquê.

— Do que eles falam? — ela perguntou a Édouard.

— De política.

As conversas amainaram um pouco. Durante um silêncio, Keisuke fez um sinal com o queixo na direção dela.

— Ele diz que você tem um jeito um pouco descongelado — disse Paul.

O poeta olhou para ela, que leu ironia em seus olhos e, com espanto, uma bondade infinita.

— Ele diz que você é bonita mas que não sorri, além de ser magra demais.

O beberrão acrescentou umas palavras que fizeram os outros rir.

— E ali? — perguntou Rose.

— Alguma coisa que me é destinada e que não traduzirei — ele respondeu.

Dessa vez em japonês, Paul contou uma história em que ela ouviu nitidamente *Ryōan-ji*, e todos caíram na gargalhada. Édouard lhe deu um tapinha nas costas.

— Contei a todos que você comparou o Ryōan-ji com um gigantesco banheiro para bichinhos de estimação — disse Paul.

Keisuke gritou alguma coisa batendo na mesa, e os convivas assentiram balançando a cabeça em uníssono.

— Sacerdotes zen filhos da puta — traduziu Paul.

O ceramista voltou a ficar sombrio.

— O Ryōan-ji, o fim do mundo — traduziu também Paul.

Depois, como nenhuma explicação chegasse, todos se voltaram para suas conversas e Rose recomeçou seu bate-papo com Édouard. A certa altura, quando Paul saíra para cumprimentar uns conhecidos na entrada da sala, ela perguntou a seu novo amigo o que ele não quisera traduzir pouco antes.

— De muito bom grado — ele riu. — Keisuke lhe disse: Você devia trepar com ela, gentilmente, isso acabaria de descongelá-la.

Ele olhou para Paul.

— Pessoalmente, eu não diria não — acrescentou.

E quando ele voltava para a mesa:

— Eu não lhe disse nada.

Fez-se novo silêncio e Keisuke apontou um dedo para Rose. Ah, ela pensou, o cara a cara. Ele começou a falar e Paul, levantando-se e pegando uma cadeira da mesa vizinha, sentou-se atrás de Rose. Traduzia simultaneamente, ela sentia sua respiração na nuca.

— O seu pai era um espírito de samurai num corpo de comerciante, um patife explorador mas pagava bem e, sobretudo, era um amigo leal. Paul é da mesma raça, menos brutal mas mais malandro. Como é belga, os japoneses não o veem preparando o golpe. Ele aprendeu com o mestre, foi discípulo dele, seu confidente, seu médico, seu amigo.

Fez uma pausa. Rose voltava periodicamente ao galho de bambu, atrás do ceramista. Sua dissimetria, seu langor indócil a fisgavam.

— Você sabe o que é um amigo? — recomeçou Keisuke.

— Um homem morto? — ela sugeriu.

Ele deu uma gargalhada quando Paul traduziu.

— O seu pai dizia: aquele com quem você aceita soçobrar. As pessoas das montanhas são muito tapadas mas quando tudo desaba, a única pessoa que você quer ter perto de si é um imbecil dessa espécie. E você? Você também é idiota e admirável a esse ponto?

— Não — ela disse —, sou francesa.

Ele deu outra gargalhada.

— Você é bem filha de seu pai — cochichou.

Alguém passou perto do galho de bambu e fez um desvio que cativou Rose. Keisuke fez uma pergunta a Paul, que respondeu com uma palavra.

— Sabia que seu pai gostava de flores? — perguntou o bêbado. — Mas você é uma botânica idiota, você cola etiquetas nelas, no fundo você está pouco ligando.

Ela o olhou nos olhos e neles só viu ternura. Por quem?, indagou-se. Por ele? Por mim?

— Seu pai, pelo menos, sabia olhar para elas — recomeçou Keisuke.

— Para todas as flores salvo para Rose — ela disse.

Ele seguia um pensamento, ignorou sua observação.

— Você tem uma especialidade?

— A geobotânica.

— Você segue a pista das flores? — ele perguntou.

— De certo modo.

Ele gargalhou.

— Já seria hora de encontrá-las.

Tomou mais saquê.

— *Uma rosa só são todas as rosas* — ele disse. — Isso é Rilke, é outra coisa muito diferente da sua ciência de araque. Pensa que seu pai não olhava as rosas? Ele teve uma vida de marchand e nunca entendeu nada de mulheres, mas era um samurai, sabia que as linhas retas são fatais.

Rose voltou para o galho de bambu. Alguma coisa acariciava sua intuição, se esquivava, batia de novo à porta de sua consciência.

— Se elas são fatais para os homens, então por que não para as mulheres? — traduziu de novo Paul. — Se você não entende isso, pode muito bem ir diretamente para o inferno.

O ceramista fungou ruidosamente, assoou o nariz na manga do casaco.

— Você é jovem, pode dar um passo para o lado. Depois será tarde demais.

Parecia querer dizer outra coisa e depois desistiu. Olhou para Paul.

— Você também sabe muito bem, as cinzas, as cinzas...

Fez um gesto de cansaço, pôs a cabeça entre as mãos, murmurou algumas palavras.

— O que ele disse? — perguntou Rose.

— Depois das cinzas, as rosas — disse Paul.

Sua voz estava velada. Cheguei depois da batalha, ela pensou, eles viveram o fim do mundo juntos, eu sempre estarei excluída desse vínculo. Paul retomou seu lugar do outro lado da mesa, ela se sentiu abandonada.

— Keisuke me trata por você? — ela perguntou a Édouard.

— Em japonês não existe propriamente diferença entre tratamentos mais e menos cerimoniosos mas ele lhe fala como se à sua própria filha, com pronomes que equivalem em francês ao tratamento mais familiar.

— Como à sua própria filha? — ela repetiu. — Isso me resulta num morto e num bêbado como pais putativos.

— Ele perdeu três filhos — Édouard observou amavelmente —, não se pode criticá-lo por ser louco a ponto de querer adotar uma chata francesa.

Dali a pouco, Paul se levantou e cumprimentou o grupo. Parecia exausto, ela o seguiu comportadamente. À entrada, fez um desvio para evitar o galho de bambu insurreto e teve a clara sensação de que pegava um caminho transversal havia muito conhecido, havia muito esquecido; parou um instante, impressionada com aquele desvio num lugar sem matéria nem substância. Lá fora, inspirou profundamente. O ar cheirava a verão, Kanto os esperava, em pé no escuro, calado, irreal. No momento de entrar no carro, ela se virou bruscamente e quase se chocou em Paul. Ele fez um gesto de surpresa, recuou ligeiramente. Ela se sentia embriagada mas estranhamente alerta.

— Você não quer... — murmurou.

Pôs a mão em seu antebraço. Ele a pegou pelos ombros, a aninhou suavemente no carro, como a uma criança. Ela desejava intensamente que ele quisesse — mas quisesse o quê? Ela se perdia em seus pensamentos.

— Você bebeu por um batalhão — ele disse — e eu tampouco estou sóbrio.

Ele se inclinou para ela.

— Amanhã de manhã venho buscá-la para ir a outra parte da cidade. Depois, iremos ao tabelião.

— O que vai acontecer? — ela perguntou.

— Ele lhe dirá o que Haru deixa para você.

Ela quis responder: que me importa o que ele me deixa? Mas viu atrás de Paul, no acesso pelo qual a rua ia dar no rio, que grandes faixas de bruma se levantavam ao redor da lua. Pensou no bambu renegado, em sua insistência em se quebrar, em sua vitalidade de fugitivo — em algum lugar em sua cabeça a voz de Keisuke murmurou *um passo para o lado* e ela se ouviu responder:

— Vou recolhê-lo.

Antes que ele fechasse a porta, ela viu a deflagração da emoção em seu rosto — o verdadeiro Paul, pensou — e depois o carro deslizou na noite. Voltou para a casa de Haru como quem volta para a própria casa. De seu quarto, fez um gesto de fidelidade às brumas que subiam para as montanhas, para o céu de monção, para a lua ruiva. Dormiu um sono pesado, acordou brevemente, procurou o astro pela janela, encontrou-o, fulvo e imenso, estriado de galhos escuros.

10.

Bem no final da dinastia Ming, o futuro pintor Shitao, então com três anos, perdeu toda a sua família, assassinada por uma facção rival na corte do imperador Chongzhen. Um criado o salvou do massacre e o levou para junto dos monges budistas do monte Xiang. Lá, ele aprendeu caligrafia. Mais tarde, saiu pelo mundo para realizar seu destino de artista.

Shitao, cujo nome significa "onda de pedras", sabia representar rochas que se juraria estarem vivas, mas sua verdadeira paixão eram os musgos. No entanto, jamais os desenhava no rolo. Um dia, como seu amigo, o pintor Zhū Dā, estivesse intrigado com isso, ele lhe disse: O musgo acaricia a pedra como uma amante, em breve talvez conseguirei pintá-lo — então, longe das batalhas, farei de minha arte um relato sobre o amor.

O musgo acaricia a pedra

De manhãzinha, chovia torrencialmente. O mundo desvanecia, o rio vibrava. Rose ajoelhou-se sobre os tatames, viu que haviam posto ali uma bandeja com um copo de água e um comprimido branco. Imaginou que Paul ligara para Sayoko, que tinham falado dela, que ele lhe dera instruções. Uma onda de desejo sem contornos a atravessou. Tomou o comprimido, deitou-se. *Ele sabia exatamente quem ele era.* Tentou rememorar a conversa, seu quadro, sua textura. Como se sabe quem se é?, perguntou-se. O dourado das paredes lhe voltou à memória — as pedras, sua súbita presença, sua oferenda muda. Como se chama aquele jardim? O Ryōan-ji, pensou com um sentimento de vitória. Depois, numa sensação de amargura: Eu não existo, eu não posso saber quem eu sou.

Tomou banho, vestiu-se; cada gesto lhe era penoso; deitou-se de novo, esperou que a dor de cabeça passasse, notou que a camélia havia desaparecido. Um pouco depois, foi para a grande sala e encontrou Sayoko dentro do quimono marrom do primeiro dia, com sua obi de peônias. Sentada a uma mesa baixa, ela escrevia num livro de contas. Levantou-se, desapareceu na cozinha, voltou com a bandeja matinal. Enquanto Rose batalhava contra um peixe inteiro, a japonesa continuou suas contas. O som da chuva batendo no musgo do bordo tinha uma opacidade inabitual. Rose terminou o café da manhã, pensou em sair, desistiu.

— No flowers in my room today? — perguntou.

Sayoko sorriu.

— Paul-san want you choose.

Surpresa, Rose ficou calada. Sayoko a observou um instante, séria e concentrada.

— Paul-san secret man — disse enfim.

E como Rose a olhasse, mais surpresa ainda:

— Very brave. He know flowers.

Que relação?, pensou Rose. E eu? Sou corajosa?

— Rose-san want which flower? — perguntou Sayoko.

Ela se sentiu meio perdida.

— In France, I like lilac — disse.

— We have lilac in Japan — disse Sayoko. — *Rairakku.* Good season now.

Ouviram correr a porta de entrada e Paul apareceu na sala; Rose recebeu em pleno coração seu rosto sorridente, seu olhar pensativo; ele é belo, pensou. Ele dirigiu umas palavras a Sayoko, que saiu a passinhos apressados.

— Conseguiu descansar? — ele perguntou.

— Sim mas estou com dor de cabeça — ela respondeu. — E você?

— Dormi como uma pedra, sou outro homem.

Sayoko voltou trazendo cafés, ele bebeu o seu lentamente enquanto ela lhe falava com loquacidade, Rose esperava, os olhava, sentia em si uma vida furtiva se mostrando e depois se dissipando. Finalmente olharam para ela e Sayoko fez um sinalzinho com a cabeça.

— Está pronta? — perguntou Paul. — Hoje há um horário a respeitar.

No carro, sua proximidade a perturbou. Ele ainda parecia cansado, um pouco ausente.

— Aonde vamos? — ela perguntou.

— Ao outro lado da cidade, a Arashiyama.

— Isso quer dizer alguma coisa?

— A montanha da tempestade.

— É qual templo?

— O Saihō-ji.

Andaram muito tempo para o oeste, calados, sem se olharem. A cidade mudava, tornava-se triste, impessoal, sem o encanto do centro; iam por ruas saturadas de edifícios anônimos, de feiura de neon; o pensamento de que ela só conhecia do Japão seis templos e um cemitério a perturbou. Finalmente, pegaram uma rua estreita, ladeando bambus altos, numa zona quase rural. Diante de um portão outros visitantes já esperavam. Chovia. Depois de uns minutos, um monge de hábito preto com gola forrada de branco veio abrir para eles. Paul e os outros visitantes lhe entregaram um papel, todos o seguiram até as usuais construções de madeira. Levaram-nos para um salão com estantes baixas onde havia folhas, tinta e pincéis. Paul fez sinal a Rose para ficar no fundo e sentar-se a uma escrivaninha. Ela imitou sua vizinha japonesa, sentou-se sobre os calcanhares, com os dedos do pé levemente para dentro, Paul dobrou as pernas de lado, fazendo uma careta furtiva. Ela observou a folha na sua frente, em que viu ideogramas e quis pedir uma explicação mas, nesse instante, um cortejo de monges entrou e dirigiu-se para o meio da sala. Num inglês laborioso, um superior com ar rabugento os intimou a copiar com tinta os caracteres do sūtra posto diante deles. Um monge jovem instalou-se de pernas cruzadas num banquinho tendo ao alto um pote preto e brilhante, e outro diante de um peixe de madeira esculpida que estava sobre uma grande almofada bordada. Os dois tinham na mão um bastão fino. Rose bocejou.

Os três sons cristalinos, o *poc* surdo, a atingiram no ventre. Refazendo-se, ela viu que o primeiro monge afastava o bastão do pote brilhante enquanto o segundo, agora, batia na madeira do peixe num ritmo rápido e regular. O canto começou, subia um cheiro de incenso, as vozes eram monocórdias, aos arrancos. Por intermitência, o cristal do pote escandia a recitação. Ao lado dela, a japonesa copiava seu sūtra mas Rose se sentia tragada por um fluxo profundo, inebriava-se com um cheiro de terra molhada misturado a poeira e flores. Finalmente, os monges se calaram. Depois de um instante em que o grande rabugento disse alguma coisa que ela não entendeu, distribuíram a todos uma pequena plaqueta de madeira. A japonesa lhe mostrou seu pincel dizendo-lhe: Write wish.
— O que era? — Rose perguntou a Paul.
— Hannya shingyō, o sūtra do coração — ele respondeu.
— Isso fala de amor?
— Isso fala de vacuidade.
— O sūtra do coração fala de vacuidade?
— O sūtra do coração da sabedoria, sim.
Ela riu.
— Pelo menos desta vez eu me sinto em meu lugar — disse.
Ele sorriu, levantou-se disfarçando uma careta. Acompanharam os outros lá fora até uma porta do muro onde lhes con-

taram mais alguma coisa que Rose não escutou. Por fim ficaram livres. Garoava ligeiramente. O canto ainda ressoava nela — suas escansões de cristal, sua surdez opaca. Pegaram uma alameda pavimentada que ia serpenteando sob uma nuvem de bordos. É a entrada de um bosque, ela pensou com espanto. A chuva filtrava-se em pingos esparsos através da copa das árvores; por toda parte, vitorioso em seu feudo total, corria um musgo extraordinário; espesso, movente, posto sobre as raízes e as pedras, ele cintilava de reflexos.

— O outro nome de Saihō-ji é o Kokedera, o templo dos musgos — disse Paul.

O musgo é encantado, ela pensou — a terra, ou melhor, a terra sob o musgo.

— Haru pensava que a terra do Kokedera era mágica.

— E você? — ela perguntou, com vontade de dizer: E você, meu Paul?

Ele ficou calado. Depois, quando chegavam a um lago perdido sob as folhagens:

— Para mim, é um lugar de lembrança.

Rose olhou o lago. Uma ponte coberta de musgo passava por um braço estreito, um leve vapor escovava a superfície das águas, a forma das margens lhe falava como uma escrita.

— A umidade do charco mantém os musgos em vida — disse Paul.

— Ele tem uma forma engraçada — disse Rose.

— Dizem que representa o ideograma do coração.

Ele levantou a cabeça, olhou para as árvores.

— É o último passeio despreocupado.

Um vento de tristeza varreu Rose. Eu não choro ninguém, ela pensou. O cristal opaco do sūtra continuava a niná-la como uma melodia cantarolada ao longe. O musgo brilhava como pérolas de chuva — orvalho de monção, ela pensou. Continuaram. Da terra alguma coisa subia, ela sentia um roçar, sua magia secreta.

— Anna tinha um ano, eu a carregava nas costas — disse Paul. — Ela diz que se lembra mas não vejo como.

Os demônios alegres, pensou Rose. Caminharam em silêncio. Quando se aproximavam do final do jardim, ela olhou as árvores enraizadas no vasto veludo; olhou os pingos da chuva, a amenidade da água sobre o vegetal e do vegetal sobre a terra; é uma carícia, pensou. A fraternidade do orvalho e do musgo, a fusão do cristal, da terra e do bosque fez de súbito brotar a evidência de que ela não parara de chorar Paule, que ela chorava havia anos, havia séculos de silêncio. Levou a mão ao coração e depois tudo passou, numa fragrância de cemitério, num salmo de chuva negra.

Foram embora, e depois de alguns quilômetros pelo campo seguiram um rio em direção ao norte e chegaram a uma grande ponte de ferro e de madeira numa zona animada tendo às margens restaurantes e lojas coloridas. Desceram do carro um pouco mais acima, passaram sob uma cortina cinzenta de panos curtos, foram para uma sala com tatames aberta para um jardim de azaleias. Paul fez o pedido, trouxeram chá e cervejas geladas, uma caixa laqueada para cada um e um pequeno recipiente de madeira do qual saía uma haste curva. Rose abriu sua caixa e descobriu sobre um leito de arroz umas fatias de peixe untadas com uma cobertura avermelhada.

— Enguia — ele disse.

Pegou o pequeno recipiente de madeira, tirou dali um pó verde com que salpicou o peixe.

— Sanshō.

Ela provou a enguia. A carne se soltava em lâminas por cima de uma pele cinza e gordurosa. O sabor açucarado da cobertura a surpreendeu, a maciez do peixe, sua textura sedosa, sem resistência, sem viscosidade, sua harmonia com o arroz avinagrado; bebeu a cerveja olhando para Paul; estava aliviada por ele se manter em silêncio. Ele terminou seu almoço, encostou na parede, com as pernas esticadas. Com uma intensidade dolorosa, ela desejou que ele a desejasse, que quisesse dividir com ela aquilo que era. *Paul é um ser secreto, complexo.* Quem me disse isso?, pensou. Foi Beth Scott.

— Sayoko não gosta de Beth Scott — ela disse.

Ele ergueu uma sobrancelha, achando graça.

— Beth não é muito popular em Kyōto, tem fama de ser implacável nos negócios e de não respeitar as regras. Não faz muito caso dos outros quando seu interesse está em jogo.

— Que gênero de negócios?

— Ela herdou um patrimônio imobiliário do marido e fez disso um império.

— O marido dela era japonês?

Ele balançou a cabeça.

— Ela é muito competente — disse. — Apesar do que se pensa a seu respeito e embora sendo uma estrangeira, conseguiu se impor aqui. É uma façanha.

— Você se dá bem com ela?

— Muito bem.

— E meu pai?

Ela viu seu estremecimento porque ela dissera *meu pai.*

— Haru gostava muito dela.

— Por quê?

— Ele gostava das pessoas feridas.

— Ela perdeu um filho, não é?

— Você deduz a partir de poucos indícios — ele disse.

Perplexa, ela negou com a cabeça.

— Não é a primeira vez que observo isso.

Ele mostrou no olhar uma doçura estranha, ela imaginou que ele pensava em alguma outra pessoa, que ele amava fazia pouco tempo uma mulher desconhecida, e se apavorou pensando que ele poderia brevemente desaparecer de seus dias, de sua visão, de sua vida.

— É hora de ir ao tabelião — ele disse levantando-se.

Enquanto ele pagava no balcão da entrada, ela viu que seu quadril lhe doía. Ele deu um passo rumo à saída, virou-se, enquanto ela continuava para trás.

— Não foi um acidente de montanha — ela disse.

Uma sombra de lassidão passou por seu rosto.

— Não — ele disse.

Ela o seguiu lá para fora. A chuva recomeçara. Kanto anunciou alguma coisa que fez Paul pegar o telefone e conversar em japonês. Ela olhava as ruas inundadas, os pedestres, os guarda-chuvas transparentes. A ternura do musgo a seguia, entrava em conflito com os abismos de sua tristeza. Sou a filha de Haru, pensou, sou apenas a filha que Haru lhe pediu para levar a passeio por Kyōto. Ele me conhece há vinte anos, sabe quem eu sou, minha vacuidade, minha raiva. A súbita consciência de que ele a vira em fotografias com seus amantes lhe foi um calvário. *Enquanto isso, ele amava, ele sofria porque amava.* O carro parou numa rua do centro, sob uma chuva diluviana. Kanto foi lhe abrir a porta, protegeu-a com um guarda-chuva até a entrada de um prédio cinza e sinistro. Paul saiu do carro, empurrou uma porta, a precedeu num dédalo de corredores, empurrou outra porta. Uma funcionária atrás de um balcão se levantou, inclinou-se diante deles e os levou a uma sala onde os esperava um homem idoso e uma jovem que, por sua vez, se inclinou.

— Sou a sua intérprete — ela disse.

— Paul não pode traduzir? — perguntou Rose.

— É a lei — disse a moça —, sinto muito.

Era muito bonita, com olhos cinza-claros e um perfil de camafeu.

— É muito bom que seja assim — disse Rose, consternada com a própria rudeza.

Paul trocou umas palavras amicais com o tabelião. Ele parecia uma rã velha, a boca larga, a fronte estreita, o olhar vivo, inquisidor; nos lábios, um sorriso bonachão; curioso batráquio dos escritórios, ela pensou. Tudo lhe parecia irreal. Estou encarregado de lhe dar a conhecer a última vontade de seu pai, traduziu a moça, e Rose naufragou. Não conseguiu mais se concentrar, escondeu ao acaso pedacinhos de palavras que não compreendia, debateu-se a ponto de perder o fôlego numa água preta e gelada. A certa altura, cruzou o olhar inquieto de Paul. Ele se levantou e foi pôr a mão no seu ombro; a suave pressão a trouxe à tona. O tabelião lhe entregou uma pasta, ela não soube o que fazer com aquilo, Paul a pegou e ficou de pé a seu lado. Um momento, a intérprete perguntou: A senhora entendeu bem? Tem perguntas? Ela fez que não com a cabeça. A moça recomeçou: Agora, há os documentos a assinar. Rose olhou para Paul e murmurou: Quero ir embora. Ele disse umas palavras ao tabelião, pegou-a pelo braço, levou-a pelos corredores. Sob o pórtico, no barulho ensurdecedor do dilúvio, ela respirou convulsamente. Vamos para casa, disse Paul. No carro, ela começou a chorar aos soluços. Ele lhe passou um braço pelos ombros, disse alguma coisa a Kanto que telefonou rapidamente, pôs os lábios em sua têmpora, lhe acariciou os cabelos. Tudo desmoronou, ela soluçou mais alto ainda, como uma criança. Diante da casa, a dor de sentir Paul afastar-se dela lhe foi insuportável. Sayoko os esperava no piso sobrelevado, com um pano na mão. Ela enrolou Rose e, mantendo-a junto a si, levou-a para a sala do bordo. Sobre uma mesa baixa fumegavam xícaras de chá; tinham posto para queimar um incenso leve; Rose desabou no chão. Paul falava em voz baixa, Sayoko assentia. Ele se sentou ao lado dela.

— Descanse, voltarei mais tarde — disse.

Através de suas lágrimas, ela fez que não com a cabeça mas ele se afastou e, depois de uma última conversa com Sayoko, foi embora. A japonesa se ajoelhou, lhe enxugou as faces com um lenço. Bruscamente, Rose se levantou, correu para o vestíbulo e saiu de pés descalços para o jardim. Do outro lado do portão, diante do carro, Paul fechava o guarda-chuva.

— Não vá embora — ela gritou.

Ele largou o guarda-chuva, voltou atrás e, enquanto ela ficava imóvel sob o aguaceiro, ele a apertou contra si. Sayoko apareceu, eles a levaram de novo para dentro. Paul se inclinou, afastou suavemente seus cabelos.

— Volto logo — disse.

— Por favor — ela murmurou, e pegou na mão dele.

Ele retirou sua mão, ela baixou a cabeça, não quis olhá-lo indo embora. As palavras do tabelião lhe voltavam, em salvas. Ela herdava todos os bens de seu pai, que deixara para ela uma carta, à qual Paul juntara aquela lida no funeral. Deitou-se. Uma hora se passou. Sayoko veio lhe dizer que ia sair, que Paul estaria lá para o jantar, que ela devia dormir. Rose permaneceu muda. Logo depois seu telefone tocou, ela viu *Paul* aparecer na tela. Ouviu-o dizer: Rose, não se preocupe, estarei aí à noite. Volte agora, ela murmurou. Ele desligou. Ela suplicou ao bordo, invocou os musgos do templo, o apelo deles, o afago deles. Ouviu um barulho, foi ao vestíbulo, fez correr a porta da entrada e se viu diante de Paul.

Ela riu. Ele deu um passo à frente e a beijou.

11.

Murmura-se que Sesshū, o mestre da aquarela a nanquim, foi, sob o xogunato de Ashikaga, o verdadeiro inventor da pintura abstrata. Tinha grande domínio do traço e da composição mas não havia nada que amasse tanto quanto salpicar ao acaso no rolo ainda virgem pingos esparsos de tinta. Um dia, um rico cliente, espantado com tal fantasia, lhe perguntou o que pretendia fazer com aquilo. Um ramo de cerejeira, respondeu o pintor, e, diante do patrício perplexo, transformou os pirilampos pretos numa ramagem de pétalas. A pintura, então, não passa de um improviso?, perguntou o outro. O mundo é como uma cerejeira que não olhamos durante três dias, respondeu Sesshū.

O mundo é como uma cerejeira

Ele a manteve contra si até o quarto, olhou em seus olhos enquanto se despiam; ela teve a impressão de ver um corpo de homem pela primeira vez. Quando ele a penetrou, ela o apertou contra si com uma avidez desesperada; ele passou os braços sob seus quadris, apertou-a também, escondeu o rosto em seu pescoço. O prazer estava disfarçado por uma sensação mais poderosa, desconhecida — é a *intimidade*, ela pensou de repente, e a embriaguez dessa descoberta se mesclou ao seu gozo. Mais tarde, ele a olhou de novo nos olhos e ela sentiu lágrimas correndo em suas faces. Ele gozou com um grito de alívio, de consternação dilacerante, de reconhecimento. A intensidade da intimidade de ambos a perturbava; os outros homens não se encarnavam jamais; ela se inebriava por aquele corpo ser o de Paul. Ele se deitou de costas envolvendo-a com os braços mas, passado um instante, afastou-a suavemente e a contemplou. Adormeceram no barulho da chuva. Logo Rose acordou, sobressaltada. Estava sozinha. Recostou-se, ouviu a água correr, recaiu sobre os lençóis. Paul saiu do banheiro, vestido, os cabelos molhados. Agachou-se ao lado dela.

— Sayoko vai voltar — disse —, vou levar você para jantar.

Ela escrutou seus olhos, ele a levantou contra si e a beijou. Ela tomou banho e se vestiu, passou batom, foi à sala do bordo.

— Sayoko está chegando — ele disse.

No vestíbulo, ela parou diante de um grande vaso de barro preto em que explodiam os ramos de lilases brancos e aveludados.

— Rose — ele chamou.

Fugiram pelo jardim enlameado. No carro, ele pôs a mão sobre a dela, deu uma breve ordem a Kanto, e depois um telefonema. O fim do dia engolfava-se numa claridade crepuscular; do céu escuro surgia um clarão violento, fuselado, que contornava as nuvens; as ruas passavam como cometas. De novo, o centro, uma passagem escura, um elevador até o último andar. Não falavam, olhavam-se. No alto, foram dar numa sala com um lado inteiramente envidraçado, sem esquadria visível, rente às paredes divisórias. As montanhas do leste dormiam como gigantes mudos, a luz descia de poços invisíveis. À direita, numa alcova, um vaso de argila clara engolia ramos desconhecidos. Instalaram-nos numa mesa perto das vidraças, o saquê chegou imediatamente. Paul os serviu e recuou para o encosto de sua cadeira. Entre uma e outra respiração, Rose esperava.

— Sinto muito ter fugido — ele começou.

Ela tentou falar mas ele a deteve com um gesto de mão.

— Quero lhe dizer o que foi para mim esta semana.

Ele sorria, ela lhe sorriu de volta.

— Eu conheço você há vinte anos mas quando você chegou aqui, apesar de tudo o que sabia a seu respeito, fiquei estupefato. Nas fotografias só se percebe a indiferença, a tristeza. Eu tinha me preparado para enfrentar a filha de Haru e via diante de mim uma mulher desconhecida.

Deu um gole no saquê.

— Eu não esperava nada daquilo que você é.

— E eu sou o quê? — ela perguntou pensando: Faço essa pergunta todo dia.

— Eu é que me pergunto — ele disse.

Depois, pensativo:

— Em todo caso, uma flor poderosa.

Depois, acrescentou:

— Embora eu deva à verdade lembrar que você chora a cada cinco minutos.

Trouxeram os sashimis, ele agradeceu, disse umas palavras. A garçonete se inclinou respeitosamente, Rose compreendeu que ele pedira que não os perturbassem.

— Quando a vi ajoelhar-se e tocar a terra do cemitério, amei você com uma força alucinada. Então fui a Tōkyō. Quando Sayoko me transmitiu sua mensagem, peguei o primeiro trem mas não sabia o que devia fazer. Estava petrificado.

Pela vidraça imensa, Rose percebia o esplendor das montanhas, sua benevolência de heroínas imóveis. Teve a impressão de enraizar-se numa matéria desconhecida, teve medo de ser de novo varrida pelo temporal.

— Como Sayoko pôde lhe transmitir minha carta se você estava em Tōkyō?

— Ela a fotografou com o telefone.

— Ela a leu?

— Ela não fala francês.

— Não é preciso falar para compreender.

Ele a olhou, achando graça.

— Será que o apaziguamento é possível para pessoas como nós? — ela perguntou. E como ele permanecia silencioso, acrescentou: — Para pessoas tão sofridas como nós?

Ele não respondeu.

— Até agora, eu fracassei — ela disse.

— Nós vivemos esses poucos dias num no man's land, a

verdadeira vida começa agora. Quem pode dizer qual será a continuação? Mas estou disposto a tentar.

Ele roçou sua mão.

— Estou ávido para tentar — ele disse.

Ela se inclinou para ele, uma lágrima rolou por sua face.

— Não posso imaginar ir embora de novo — murmurou.

Viu passar em seu olhar a mesma doçura estranha que a fizera crer mais cedo na existência de outra mulher.

— Só mesmo Anna, às vezes, me faz esquecer o gosto da desgraça — ele disse. — Esta noite, ele está ausente. Eu pensava que era preciso sobreviver mas talvez seja preciso morrer para renascer.

Ela pensou em Keisuke Shibata, no que restava dele, de sua alma descarnada. Engoliu um sashimi de atum, acalmou-se com a carne gordurosa e macia.

— Não posso voltar com você para a casa de Haru — ele disse. — Sayoko deve passar a noite lá e Anna me espera. Amanhã de manhã vou levá-la a uma apresentação de teatro. Vou buscar você depois.

Ela pousou os pauzinhos, decepcionada, desorientada.

— Você tem duas cartas para ler — ele acrescentou.

Uma mulher se aproximou deles e Rose reconheceu Beth Scott.

— Beth — disse Paul se levantando e beijando-a. — O que a traz aqui?

— Jantar de negócios — ela disse apontando para um grupo de japoneses a uma mesa perto da entrada.

E para Rose:

— Você tomaria chá comigo amanhã de manhã?

Rose, pega de surpresa, aquiesceu. A inglesa se dirigiu em japonês a Paul, que assentiu com a cabeça. Ela fez de conta que ia embora mas se virou e acrescentou umas palavras. Ele fez uma expressão atônita e respondeu brevemente. Rose a seguiu com os olhos enquanto ela voltava para sua mesa, fazia rir os homens de terno, chamava a garçonete que acorria e se inclinava muito.

— O que ela disse? — perguntou.

— O lugar onde você vai encontrá-la amanhã.

— E depois?

Ele hesitou.

— *Yononaka wa mikka minu ma no sakura kana.* O mundo é como uma cerejeira que não olhamos durante três dias. Um velho provérbio.

Ela meditou um instante.

— O que você respondeu?

Ele ficou calado.

— Depois das cinzas, as rosas — disse, afinal.

Levantou-se, ela o seguiu até a entrada. Ele fez um aceno para Beth. No elevador, puxou-a para si e a beijou. Lá fora, foram recebidos pela chuva e pelo vento, ele entrou um instante no carro, deixou a porta aberta.

— Quem traduziu as cartas? — ela perguntou. — Você? Vou sobreviver a elas? Ou será que Sayoko vai ter de me enrolar num xale gigante?

Ele saiu.

— Eu traduzi as cartas — disse.

Ele se debruçou para ela, lhe tocou nos lábios e foi embora.

Na casa, ela subiu para seu quarto, despiu-se, foi dormir no escuro, ficou muito tempo acordada até que uma melhora no tempo noturno revelasse uma lua prateada. Dormiu com a sensação de graça. De manhã, acordou sobressaltada, vestiu-se depressa, foi para a sala do bordo e encontrou Sayoko à mesa baixa.

— You meet Scott-san at eleven — disse-lhe. — Kanto-san coming at ten forty five.

O telefone de Rose tocou. A voz de Paul disse: Rose. Ela riu, respondeu: Paul. Ele riu por sua vez. Vou encontrá-la à tarde, disse. Ela desligou. Voltou para o quarto, pegou as cartas de seu pai na pasta do tabelião, voltou para a grande sala, depositou-as no chão diante da gaiola envidraçada. Sayoko a olhou por cima dos óculos, Rose pediu um café e se deitou no sofá baixo. Quinze para as onze, saiu. Um sol pálido perfurava uma bruma pálida, a manhã agonizava numa indiferença cinza. Depois de um breve trajeto, ela desceu em frente a um prédio contemporâneo de madeira clara, tendo ao longo de grandes vidraças painéis corrediços também de madeira clara, trabalhados como rendas modernas. Ao redor corria um canal de pedra preta. Dentro, um teto em meia abóbada arqueava-se com as ripas de madeira curva. Tudo era transparência e depuração, as águas imóveis refletiam os faustos do céu. Do outro lado, sobre uma relva verde, um jardim com um bordo, uma cerejeira, bambus nanicos, um pórtico laranja — eu poderia viver ali, pensou. Avistou Beth no fundo da sala. A decoração era sóbria, preta e bege. Na parte da frente, havia estantes baixas e livros de arte expostos sobre suportes. Ali viu imagens de galerias de madeira, de plantações de chá, de quimonos. Beth ergueu os olhos.

— Você está com uma aparência sensacional — disse.

Rose sentou-se em frente a ela. O telefone da inglesa tocou. Ela escutou, disse três palavras em japonês, desligou dizendo: Sayoko toma conta de você.

— Qual era a relação dela com meu pai? — Rose perguntou.

— A relação dela? Foi sua intendente durante mais de quarenta anos. Ele lhe teria confiado sua vida, além de suas contas e da lavagem de sua roupa.

— Ela tem marido? Filhos?

— E netos, como a maioria de suas semelhantes esmagadas por deveres, sacrifícios, tarefas, silêncio. Para Sayoko, a morte de Haru é uma tragédia mas você jamais ouvirá dela uma só queixa.

— Ela não gosta muito de você — disse Rose.

— É um eufemismo — disse Beth — mas em certo sentido a entendo. As japonesas são uma luz em prisão, eu passeio com meu tédio de mulher livre pelos templos e pelos jardins delas.

Puseram diante de Rose uma tigela de matcha no meio de uma bandeja de laca preta. Sobre a cerâmica branca, um ramo de cerejeira em flor morria a alguns milímetros da beira superior.

— É inabitual nesta época — disse Beth.

A dela era marrom, enrugada, sem ornamento.

— Então — ela disse —, Paul e você.

Rose ficou em silêncio.

— A vida é espantosa — disse também Beth. — Eu a julguei mal, você não é incapaz de mudar.

— Posso espantá-la mais ainda — disse Rose —, nada garante que não me jogue no rio amanhã.

Beth deu um risinho.

— Há poucos homens por quem eu tenha mais estima do que tenho por Paul — disse. — Você o merece? Clara era fascinante, ela o encantava, oferecia-lhe uma vida leve, luminosa. Você é rude, austera, total, você não o encanta, você o transtorna. Certamente ele pensava que um dia seria apaziguado por outra Clara, por aquela espécie de felicidade, e eis que você chega com a sua melancolia, a sua raiva, o seu temperamento difícil.

Deu um gole no chá e acrescentou:

— Não vai ser fácil.

Rose tocou na sua tigela.

— Você perdeu um filho, não foi? — perguntou.

Ela se deu conta de que Beth havia perdido o fôlego, viu-a piscar, admirou o controle que tinha de si mesma.

— Você tem intuição — disse afinal a inglesa.

— Você é dura e fria mas vê Paul como um filho — disse Rose.

Beth sorriu sem alegria.

— Você também é dura — ela disse — mas me faz bem porque vejo que procura aqui o mesmo apaziguamento que eu.

Rose ficou perplexa.

— Em outro lugar a beleza me agride. Só aqui é que a perda se torna menos cruel. Por quê? Não tenho certeza de querer compreendê-lo, teria medo de que a trégua se dissipasse na luz. Mas vou a esses jardins cortantes como a pedra, macios como o musgo, e me torno outra mulher que, por um instante, aceita o que aconteceu. Não se sobrevive à morte de um filho, a gente se transforma em outra que, de vez em quando, pode de novo respirar.

Olhou para Rose com uma tristeza misturada a cansaço.

— Tenho simpatia por você desde nosso primeiro encontro — disse — e creia-me, isso não me acontece com frequência. Você está prestes a tudo tentar ou tudo perder, não desperdice a sua chance.

— É uma interessante pergunta — disse Rose —, pode-se perder aquilo que não se recebeu?

Enquanto ela dizia *recebeu*, pensou em Paul com um desejo tão intenso que baixou a cabeça.

— O mais duro é já não poder dar — respondeu Beth. — Fui um dia uma mulher que amava, que teria se jogado nas chamas pelo outro. Isso, perdi por culpa minha e, a partir desse dia, fui mais morta do que viva.

Ela riu com uma ironia cansada, passou elegantemente a mão na testa. Apontou para a tigela de Rose.

— A flor da cerejeira é uma flor poderosa. Sua lindeza é uma máscara. Por seu entusiasmo, por sua exuberância, ela é o implacável apetite, a pulsão de viver, o desejo de tentar ou de morrer.

— Mas no final ela morre — disse Rose.

— No final, se morre, sim — disse Beth —, então é melhor deixar a vida improvisar sua partitura.

Ela apertou a mão de Rose com afeição.

— Do contrário — disse —, é o inferno antes do inferno.

Retirou a mão, levantou-se.

— Ele se chamava William. Suicidou-se aos vinte anos. Foi há trinta anos, foi ontem.

Rose olhou-a se afastando, ereta e distinta, em seu insondável sofrimento. Por sua vez, também saiu da casa de chá, pediu a Kanto para voltarem para casa.

Na sala deserta do bordo, foi ver as cartas depositadas no piso, reviu o ramo de cerejeira morrendo às portas de seus lábios, imaginou as flores, sua exuberância de pétalas — seu apetite, sua voracidade, seu desejo louco de tentar e de viver. Tirou o lacre de um envelope, leu as primeiras palavras e pousou a folha sobre a mesa. Rose, escrevia seu pai, o mundo é como uma cerejeira que não olhamos durante três dias.

12.

Naqueles tempos caóticos da Idade Média japonesa que os cronistas da época chamaram *um mundo pelo avesso*, um samurai esteta, tão hábil na arte do sabre quanto na da caligrafia, voltava periodicamente à casa de Kagoshima na ilha de Kyūshū. Lá se encontravam sua mulher e seu filho e, no jardim interno cercado de galerias de madeira, um magnífico bordo. Quando a criança cresceu o suficiente para expressar o desejo de percorrer o arquipélago, seu pai lhe mostrou a árvore com folhas flamejantes de outono e lhe disse: Todas as mutações estão nela, ela é mais livre do que eu; sê o bordo e viaja com tuas metamorfoses.

Sê o bordo

Ela pegou a outra carta, tirou o lacre. Paul escrevera à mão uma breve introdução: *Eu não traduzo as fórmulas de endereçamento inaugurais com os nomes, os títulos e as cortesias de praxe, começo com o próprio assunto.* Ela ficou comovida com sua letra ampla, regular. Embaixo, o texto tinha sido batido e depois impresso num papel fino. No final, Haru assinara com seu sinete. Ele escrevia: *Diante das portas da morte, vejo-me no desejo imperioso de lhe dizer o que lhe silenciei durante quase toda a minha vida de homem. Há quarenta anos, amei uma mulher francesa. Desse amor efêmero nasceu uma filha que breve virá a Kyōto recolher meu testamento. Ela não me conheceu mas ela o conhecerá. Dê-lhe uma boa acolhida, é o que lhe peço humildemente como seu servidor e, para sempre, penhorado.* A mão de Rose tremia. Reviu o cemitério, seus caules de árvore estremecidos, suas pedras com líquen, suas escadas de espíritos; representou Paul diante do túmulo de Haru, a poucos passos do túmulo de sua mulher, a poucos passos daquele de Nobu; imaginou-o, antes, lendo a carta para uma assembleia muda. Pôs a folha sobre a mesa, retomou a primeira carta.

Rose, o mundo é como uma cerejeira que não vimos durante três dias. Ontem você era uma criança alegre, uma adolescente machucada, uma jovem enfurecida, mas o mundo gira tão depressa que me dirijo a uma mulher do passado embora seja àquela em que você se transforma que eu gostaria de escrever. Na hora de morrer, é espantosamente fácil fazer o inventário da própria vida. Tudo foi selecionado, nada mais resta além do osso nu da existência reduzido a seu tutano essencial. Nada, e isso eu sei hoje, foi mais forte do que o seu nascimento. Dos quarenta anos que se passaram desde então, retenho primeiramente que a amei. Que pai teria eu sido se, depois de decênios de ausência, lhe tivesse infligido o peso de minha doença? O que teria eu lhe dado que não possa lhe dar por minhas palavras? Elas a poupariam da visão do corpo miserável, do pavor das batalhas perdidas, do amor transformado em castigo. Em vez disso, tenho a lhe expressar minha admiração de pai e a alegria por você ter feito parte de minha vida. Olhei você crescer, cair, levantar-se, sempre inteira, sempre singular, sempre infeliz. Nós, japoneses, aprendemos com nosso arquipélago atormentado a implacabilidade da desgraça. É por esse acabrunhamento inato que soubemos transformar nossa região de cataclismos em éden, no qual os jardins de nossos templos são a alma deste país de desastre e de sacrifício. Por meu sangue, você conhece a beleza e a tragédia do mundo de uma maneira que os franceses, nutridos de suas terras clementes, não conseguem entender. Nesta época pelo avesso que nos vendem como moderna, é a sua alma japonesa que possui o poder de transformar o desencanto e o inferno num campo de flores. Não se zangue comigo por eu tê-la arrastado de templo em templo, é um falso gracejo e uma

verdadeira esperança porque conheço a virtude deles de apazigua-
mento e de metamorfose. Os passeios e as palavras, mais além dos
bens e das obras, constituem meu legado verdadeiro. Você é uma
flor poderosa, imprevisível, teimosa, tenho fé em sua força, em sua
determinação, e tenho a esperança, também, de que esses decênios
de silêncio não terão sido vãos, de que por esta carta, a despeito da
morte, você recolherá meu coração, receberá meu amor. Então,
sem choque nem tragédia, minha vida inteira passará para você.

Rose se deitou direto no chão, com os braços em forma de
estrela. O bordo vibrava suavemente. Estou em minha casa, ela
pensou, e riu. Muito tempo depois, ouviu a porta de entrada
correr e os passos de Paul se aproximarem. Ele se sentou a seu
lado, apoiou-se no chão passando um braço em sua cintura. Ela
tomou consciência de que chorava lágrimas silenciosas, fluidas e
regulares como a chuva. Ele lhe acariciou a testa, recolheu com
o dedo uma lágrima. Ela olhou para ele, que a tomou em seus
braços, e foram para o quarto. Ela o atraiu para si com uma energia de afogada e o abraçou como na véspera. Será que um dia o
desejarei de outra maneira?, perguntou-se. Havia entre eles uma
gravidade que dava fervor a cada gesto; a nudez de ambos parecia para Rose um milagre; o prazer era violento, feliz; Paul a
olhava como homem livre de um fardo, com uma alegria virgem. No gozo, mostrou um rosto que ela não conhecia, lavado
de tristeza, luminoso. Ela se aninhou contra ele, as costas contra
seu peito, ele a envolveu em seus braços, pôs a fronte em sua
nuca. Mais tarde, olharam-se. Paul procurou o casaco, atrás de
si, e tirou do bolso um envelope com o sinete de Haru.

— A original — disse.

Ela se ajoelhou, observou os dois caracteres do sinete, traça-
dos com tinta vermelha.

— É um dos ideogramas mais complexos da língua japonesa — ele acrescentou.

— Não é o nome dele? — ela perguntou, mas no mesmo instante compreendeu e murmurou: Rose.

— Ninguém soube, até a morte dele.

Ela abriu o envelope, retirou duas folhas de papel quase translúcido. As linhas traçadas com tinta preta lhe causaram uma sensação de gramíneas ao vento. No alto à esquerda, acima do texto, espalhavam-se alguns caracteres isolados que ela acariciou com a ponta do dedo.

— *Só mais além reina o orvalho* — Paul traduziu.

Depois, como ela erguesse um cenho interrogativo:

— É um verso de Keisuke que Haru mandou gravar em seu túmulo.

Ela reviu as pérolas de chuva sobre o musgo do Saihō-ji, teve a impressão de detectar ali o reflexo deformado de um rosto.

— Ele cresceu perto de uma torrente de montanha — ela disse. — Eu teria visto, de preferência, um poema de água gelada.

— Haru representava a vida como a travessia de um fio de água preta de tão profunda. Um dia, ouvi Keisuke lhe dizer: Você faz bem, o orvalho está na outra margem.

Ela percebeu em si mesma um cochicho desconhecido, olhou de novo o texto das gramíneas moventes.

— A escrita é bela — disse.

— Haru era um marchand, um samurai mas sobretudo um esteta.

— Um verdadeiro japonês — ela disse.

— De jeito nenhum — ele disse. — Sob certos aspectos, era atípico, não tinha os gostos dos homens japoneses de sua geração. Não tinha intenção de se casar nem de fundar uma família, não frequentava as gueixas, menos ainda as hostesses. Teve muitas mulheres ocidentais em sua vida.

— Beth entre elas?

— Sim.

— Ela amava os homens japoneses?

— Ela amava todos os homens. Teve muitos amantes, mesmo quando era casada.

— Eu também tive muitos amantes — disse Rose.

— Eu vi — ele disse sorrindo. — Mas você não era casada.

— Não me lembro de nenhum — ela murmurou.

Ele se calou.

— Por que Haru não legou nada para você? — ela perguntou.

— Eu recusei.

Ele se levantou, fez uma careta.

— Falaremos disso mais tarde — disse. — Sayoko vai chegar e quero levar você a algum lugar.

— Por que você manca? — ela perguntou.

Ele não respondeu, foi para o banheiro e voltou banhado e vestido. Ela ficou impressionada com suas feições relaxadas, com a luz de seu olhar; levantou-se, aproximou-se dele, que a apertou nos braços, beijou-a, riu com um júbilo de criança. Ela tomou banho e se vestiu, foi encontrá-lo na sala do bordo, invadida por uma reverência súbita. A árvore elevava-se para nuvens de cinzas, os galhos exibindo-se como asas, as folhas fremindo, esticadas para o grande braseiro invisível. O que está acontecendo?, ela se perguntou. Olhou o céu de nuvens cinzentas, pesadas de temporais e tempestades, e o bordo cresceu ainda mais.

— Rose? — chamou Paul, do vestíbulo.

Ela se desprendeu da contemplação do pássaro vegetal, deu uns passos, virou-se uma última vez e, tomada por um impulso, inclinou-se. Na entrada, Paul lhe entregou um guarda-chuva mas, no momento em que ela ia pegá-lo, viu as reviravoltas do musgo no lilás branco, parou de novo, tentou agarrar no voo um pensamento que fugia. Aproximou-se dos cachos desgrenhados sobre a opulência macia da folhagem e sentiu o pensamento desaparecer. Seguiu Paul; no carro, pegou sua mão e a levou aos lábios. Iam rumo ao leste. Kanto deixou-os diante de uma larga alameda margeada de pinheiros e azaleias que subia para a colina. Ela levava a um grande pórtico de madeira trabalhada encimado por um telhado de colmo, continuava adiante, subia ainda mais. Chovia pouco, eles andaram devagar.

— Dois anos depois da morte de Clara, pulei no rio com Keisuke — ele disse. — Estávamos completamente bêbados. Passamos por cima do parapeito da ponte de Sanjo, eu aterrissei em cima de uma pedra, ele caiu sem maiores estragos. Depois, no hospital, me disse: O inferno é quando nem a morte quer saber de você. Mas o inferno, para mim, era quando eu falhava com Anna.

— O que disse a ela?

— A verdade. Que seu pai era um idiota que tinha bebido demais.

Ele riu.

— Ela estava com quatro anos. Disse-me: Então beba só um pouco.

A alameda ficava mais estreita; finalmente, foram dar nos muros de pedra que cercavam o local; uma grade na entrada mostrava, mais além, túmulos dispostos em andares.

— Traduzir a carta de Haru foi difícil — ele disse. — A decisão dele, antes, foi difícil. Eu gostaria que você o tivesse conhecido.

Ele parou diante da grade.

— Onde estamos? — ela perguntou.

— Em Higashi Ōtani.

— Quem se encontra aqui?

— Ninguém que eu conheça. Mas é um local memorável da celebração de Obon, a festa dos mortos.

Entraram no cemitério empoleirado no flanco da colina com dezenas de alamedas alinhando túmulos apertados, maré insensata de pedra cinza e muda. Gritos de corvos dilaceraram o silêncio, ela gostou daquele som estranho e rouco. Paul pegou o caminho dos andares superiores, ela o seguiu por escadas que mudavam de direção, chegou atrás dele, sem fôlego, à alameda mais alta. Ele se apoiara num parapeito, ela fez o mesmo, acotovelou-se também e descobriu a cena. A seus pés, o gigantesco mausoléu; mais adiante, vista do céu, Kyōto, a cidade das maravilhas; ao longe, as cristas escuras de Arashiyama desdobrando-se sobre o crepúsculo. Parara de chover, o céu estava fantasmagórico, acinzentado, bordejado de rastros pretos que desfiavam as nuvens.

— Obon? — ela perguntou.

— Durante Obon, honram os espíritos dos ancestrais, agradecendo-lhes seus sacrifícios, retornam ao túmulo dos seus, às vezes longe de casa, fazem oferendas aos mortos para aliviar suas penas. Os festejos duram um mês mas no ápice acendem-se dez mil lanternas, aqui, em Higashi Ōtani.

— Oferendas para aliviar os mortos de que penas?

— Dizem que *Obon* é derivado de um sūtra em sânscrito que significa "enforcado pelo avesso no inferno".

Nesta época pelo avesso, ela pensou, e depois: Tudo se faz pelo avesso na minha vida, conheço meu pai pela criança que ele foi e pelo homem que eu desejo. Paul olhou para ela, que se aproximou dele, e a abraçou. Em frente, Kyōto penetrava na noite. Ao redor, as sepulturas, roçadas por um orvalho da outra margem, fremiam a vida invisível dos mortos. Paul a beijou na têmpora.

— Somos sobreviventes — disse —, até que outros sobrevivam a nós.

Então, na grande necrópole das almas enforcadas pelo avesso, Rose tornou-se outra. Num lampejo, reviu o bordo em sua gaiola de vidro; enraizado na fluidez dos musgos mas livre sob o céu, dando em torno de si a vida em suas inúmeras mutações, ele lhe cochichava uma partitura de brisa e de folhas; ela se deixou extraviar, sem medo, sem raiva; à beira de sua percepção, farândola fundida de árvores e flores, deslizavam os jardins de seu pai e alguns ramos de lilás branco. Ela inspirou, sentiu o perfume da terra, da pedra, do fim das coisas. Deu-se conta de que Paul chorava sem tristeza, abandonado a suas lágrimas, a sua presença, a seu desejo por ela. Ela gritou internamente com um grito terrível, magnífico, que a fez nascer e morrer — renascer, enfim.

— Só há o amor — disse Paul. — O amor e, depois, a morte.

Reconhecimento e gratidão
a
Jean-Marie Laclavetine
Pierre Gestède
Jean-Baptiste Del Amo
Elena Ramírez Rico

1ª EDIÇÃO [2022] 2 reimpressões

ESTA OBRA FOI COMPOSTA EM ELECTRA PELO ACQUA ESTÚDIO E IMPRESSA
PELA GRÁFICA BARTIRA EM OFSETE SOBRE PAPEL PÓLEN NATURAL DA
SUZANO S.A. PARA A EDITORA SCHWARCZ EM OUTUBRO DE 2022